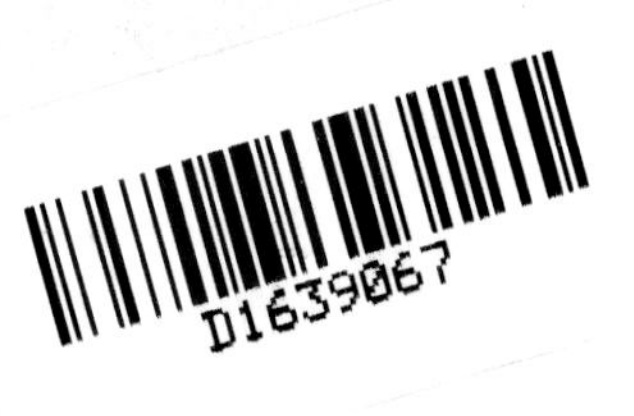

piotr C

pokolenie IKEA

Rozdział 1
Blind Date

MĘŻCZYZNA – nazwa samca gatunków z rodzaju *Homo*. Współczesna cywilizacja wymaga od mężczyzny atrakcyjnej pracy, wysportowanej sylwetki, gotowania, dużego, ciągle stojącego kutasa, powodzenia u kobiet, niebanalnego hobby (latem deska, zimą deska, skakanie na bungee, gra w krykieta, poker, bourbon i cygaro do późnych godzin porannych), miłości do dzieci, czytania im bajek do poduszki, błyskotliwej *ars amandi*, znajomości komputera, czterech języków (w tym robienia minety w stylu kota chłepczącego mleczko), Tysona z prawej, wielkich bicepsów, bycia przystojniejszym od diabła i bycia złotą rączką. Po pracy, czyli od 22 do 24, powinien ubierać się w kostium Supermana i ratować świat. Ze względu na porę – na drugiej półkuli.

KOBIETA – określenie samicy z rodzaju *Homo*. Współczesna cywilizacja wymaga od kobiety: nienagannego wyglądu, wagi poniżej 55 kg, dużych cycków, które sterczą niczym piramida Peia w Luwrze, długich, nieporośniętych szczeciną nóg, umiejętności robienia loda porównywalnej z Jenną Jameson, bycia dziwką w sypialni i damą w salonie, bioder poniżej 90 cm, talii poniżej 63 cm, braku cellulitu, orientacji w najnowszych trendach mody, prenumeraty „Cosmo”, braku rozstępów po dzieciach (Tytus i Szymon, Maja i Ksawery), braku odruchu wymiotnego przy zmienianiu pieluch, bielizny Palmersa bądź chociaż Triumpha, dwóch przyjaciółek, z których jedna jest dziennikarką i pali, stałego fryzjera geja, spa, gdzie jest traktowana po znajomości i ma trzydziestopięcioprocentową zniżkę, iPada, znajomości malarstwa, stałego faceta o wyglądzie Brada Pitta (z nowym modelem BMW i bez wąsów).

Idealny mężczyzna i idealna kobieta są bardzo samotni w swoim świecie, gdzie nie ma miejsca na najmniejszą pomyłkę. Ratować ich może tylko picie i dragi.

Wiecie, że dzieci, które urodzą się w tym roku, będą rocznikiem 2011? To, kurwa, przygnębiające. Kiedy się rodziłem w 1976, ludzie myśleli, że w 2011 to co jak co, ale świat będzie lepszy. Mieliśmy już latać regularnie w kosmos. Misje załogowe miały kolonizować Marsa. Ba, w 2011 może dostałbym pierwsze mieszkanie. Po piętnastu latach czekania w spółdzielni. A tu co? Dupa. Chuja tam, chuja, a nie intergalaktyczne misje.

W 1987 to mnie nie interesowało, co będzie w 2010. Moja świadomość czasu i miejsca była niewielka. Chciałem sobie po prostu kupić gumę donald w Peweksie. Ewentualnie gumkę do wycierania z nadrukiem cycatej laski na desce windsurfingowej.

W 1989 wydawało mi się, że w 2000 będę już straszliwie stary, bo skończę studia. Poza tym w 2000 roku miał nastąpić koniec świata, więc i tak nic nie miało znaczenia. W 2000 kończyłem studia. I nadal, kiedy myślałem o 2011, ta data była dla mnie abstrakcją.

Przez dziesięć lat można zrobić naprawdę sporo rzeczy. Dużo wypić. Poznać parę kobiet. Zapomnieć o paru kobietach. Zrobić kilka, kilkanaście, kilkaset imprez. Obejrzeć pięćdziesiąt cztery razy *Psy*, kilka razy *Chłopaki nie płaczą*, dwa razy *Sztosa* i zasnąć w połowie *Quo vadis*. A nawet doktorat zrobić. A teraz co? Jest 2011. I co dalej? Na co mam czekać? Hę? Na Open'era raz do roku, bo wszyscy na niego jeżdżą?

Sorry. Nie przedstawiłem się. Nazywam się Piotr C********.

Dobra, okłamałem was. W rzeczywistości nazywam się inaczej. Ale to jest świat, w którym każdy nazywa się inaczej albo chociaż chce być kimś innym. Obiecuję w każdym razie, że będę kłamał rzadziej niż inni. Trochę rzadziej, no bo nie przesadzajmy, nie? Umowę zawieramy na piśmie. Chętni mogą sobie strzelić autograf gdzieś z boku.

Piotr C.
Ksywa: Czarny.
Wzrost: 180 cm.
Waga: 83 kg.
Zamieszkały: Warszawa-Ochota.
Włosy: blond.
Studia: ukończone prawo. Średnia: 4,7.
Rekord na klatę: 125 kg.
Planowana kariera zawodowa: kopro.
Hobby: emocjonalne popapranie, lęk przed śmiercią i zapomnieniem, częste i nietrwałe związki.

Urodziłem się w czasach pana Gierka, który wziął duże kredyty, a później sobie poszedł. Gdybym mógł wybrać, kim chcę być, chciałbym być Petroniuszem. Titus Petronius Niger. Rzymski wyczynowiec. Petroniusz miał stado niewolników (i, co ważniejsze, niewolnic), całymi dniami pił wino ze swojej winnicy i był masowany. Uprawiał seks. Pisał ironiczne i złośliwe traktaty o moralności, co sprawiało mu przyjemność. Wozili go w lektyce. Miał Eunice, która dla niego popełniła samobójstwo. Sam popełnił samobójstwo, bo uznał, że ktoś musi to zrobić w imię idei. Nikt inny się do tego nie nadawał. Zorganizował ucztę. Otworzył sobie żyły. Słuchał wierszy. I rozdzielał majątek.

Myślę, że dzisiejszy Petroniusz to senior copywriter z agencji reklamowej z początku lat dziewięćdziesiątych, który, kiedy na początku XXI wieku wyrzucają go z pracy, wyprowadza się na wieś i prowadzi gospodarstwo agroturystyczne.

A tak w ogóle to jest piątek. Dzień dobry. Właśnie stoję przed kobietą, z którą mam zamiar tego wieczoru uprawiać seks. W różnych pozycjach.

– Nie spieprz tego – powiedziałem do niej i usiadłem na krześle.

Z ciałem umówiłem się przez internet. Poznałem ją na chacie w pokoju: „Miłośnicy czarnych kotów". Zaczepiła mnie dwa dni temu, żądając spotkania i obiecując między słowami szalony seks w ubikacji.

Kiedy po raz pierwszy zobaczyłem komputer, nie przypuszczałem, że to automat do wydawania prezerwatyw.

Spóźniłem się piętnaście minut, aby mogła poprawić materiał na twarzy i skruszeć. Ciało miało wyrabiać w sobie odpowiednią dawkę zaangażowania. Ona jest psem, ja kotem. Ona ma sierść, ja futro. Ona się łasi, ja pozwalam głaskać. Ona daje, ja korzystam. I odchodzę własna drogą. Czysty układ. Nie twierdzę, że sprawiedliwy.

To w końcu ona miała pisać na forach: „Czarny to skurwiel, który bajeruje kobiety dla seksu".

Ciało nic nie odpowiedziało. Być może ją zamurowało. Albo Bóg ją intelektualnie opuścił. Albo jedno i drugie. Spróbowałem jeszcze raz. Przedstawiłem się grzecznie.

– Czarny.

– To ty?

Na przydługich i zatłuszczonych jak cerata włosach miałem okulary od Oakleya, przywiezione przez kumpla z wojskowej bazy w Iraku. Włosy mogłem umyć. Mogłem, ale wybrałem dziesięć minut dłużej w łóżku.

Buty... aaa, buty miałem za to czyste. Zasługa automatycznej czyszczarki przy windzie.

– No ja – przyznałem.

– Maja.

– Elo, Maja.

– Dlaczego Czarny?

– Bo nie biały.

To se błyskotliwie pogadaliśmy.

Poprawiłem się na krześle, spoglądając, jak wstrząsające wrażenie zrobiła na Majce moja facjata.

– Jak się masz?

– Dziwne miejsce. Zimne jakieś.

Więc – nie zaczyna się zdania od więc... Więc zdjęcia kłamią. Zdjęcia w sieci zawsze kłamią. Kłamią ujęcia, które mają być najlepsze i tajemnicze. Zawsze jest pół głowy. Pół dupy. Kawałek cycka. Kolo przed monitorem ma mieć Zygmunta Wazę III w spodniach. Dlatego zdjęcie laski ocenia się minus dwa w dół. Jeśli przesyła czarno-białe z przepalonym światłem na twarzy – minus trzy w dół. Ciało oceniałem po redukcji na sześć. I co? I jest sześć. No, nawet sześć i pół, czyli o te pół jestem do przodu.

Bruneta. Czarne włosy. Grzywka asymetrycznie opadająca na twarz. Tapir. Coś pomiędzy irokezem a pejsami. Oczy? Oko jedno czarne, wysmarowane eyelinerem. Panda. Drugiego nie widać. Twarz blada. Usta różowe, paznokcie czarne. Kolczyk w nosie, trzy niebieskie w uszach, dwa w brwi. Duże czarne korale na szyi. Czarna koszulka na ramiączkach. Na to biała koszulka w czarne kropki.

Wieeeeelki cyc. Niczym maciora przy warchlakach. Inaczej bym się z nią nie umówił. W sumie trochę za tłusta. Mogłaby spuścić z pięć kilo. Czy to uczyniłoby ją szczęśliwą? Nie wiem. Czy to by uczyniło mój orgazm pełniejszym? Z całą pewnością.

Siedzieliśmy w Słodki – Słony. Dobre miejsce na łowienie szprota. Otwarte długo. Niskokosztowe, bo za ciastko i coś do picia dasz pięć dych. Góra. Jest piętro. Jest antresola. Zdecydowanie polecam antresolę. Domek dla lalek. Milusińsko-pokemonowato przytulny. Drewniany sufit. Różowe obicia kanap. Zielone obicia krzeseł. Czerwone lampki. Milusińskie obrazki na ścianach. Szprot wchodzi i od razu czuje się polany lukrem.

Knajpa jest niezobowiązująca, bo jeśli laska ci się nie spodoba, to zjesz makowca, wypijesz kawę, zasalutujesz i pójdziesz do domu.

Skoro jesteśmy przy podrywie, to mam w zapasie trzy historie, kiedy dyskusja pada i zapada głucha cisza.

Numer jeden: ślub. Podkreśla moje internacjonalistyczne korzenie.

Znajomy Angol powiedział kiedyś: „Life is a bitch and then you marry one". Sam żeni się w kwietniu, bo taki wiek. Miesiąc temu był na wieczorze kawalerskim u kumpla w Londynie. Jak tradycja przykazała, schlali się w barze ze striptizem. Pan młody tańczył na stole i wtulał twarz w solidne argumenty pani pochodzącej z dolnych części proletariatu. Później rzygali na ulicy, a na samym końcu, koło 6 nad ranem, panu młodemu jeden z uczestników, lekarz z zawodu, zagipsował prawa rękę. Dla jaj wyrzucili go na drugim krańcu Londynu. Kościół, w którym miał się żenić, znajdował się w zupełnie innej części miasta. Ślub o 10.00. O godzinie 9.30 panna młoda zaczęła się niepokoić. O 9.40 wezwała organizatora wypadu kawalerskiego, czyli mojego znajomego Angola. O 9.43 organizator miał podbite oko i łzy w oczach. O 9.56, czyli cztery minuty przed czasem, dotarł na miejsce pan młody. W dżinsach, zafajdanej koszuli i z ręką w gipsie. Oczy miał przekrwione, a na ubraniu ślady rzygowin. Ślub się odbył. Mimo to. Ale teraz ten szczęśliwy małżonek będzie organizował mojemu znajomemu wieczór kawalerski...

Numer dwa: strój zuluski (autopromocja).

– Wiesz, dostałem wczoraj od kumpla z RPA oryginalny strój zuluski. Przypomina wydrążoną główkę czosnku. Strój jak strój, mały jest, a tam gorąco, więc nakłada się go tylko na fiuta. Zulus wstaje rano i nie musi przeszukiwać szafy w poszukiwaniu jakichś sensownych ubrań, na zasadzie: gdzie moje skarpetki, chcę dwie czarne skarpetki, tylko robi sobie przedziałek na głowie, wyjmuje strój spod poduszki, zakłada jednym pociągnięciem ręki i dalej ma... fajrant.

Tutaj obowiązkowo pada pytanie:

– I co, założyłeś go?

– Nie da rady. Dziura jest dla mnie za mała...

Numer trzy: jak zesrałem się w kalesonki, wracając z przedszkola. Bardzo pouczające.

Wstawić śmiech. Wstawić poprawienie włosów, wstawić odpięcie kolejnego guzika celem powiększenia dekoltu, wstawić wypięcie biustu, wstawić kolejnego drinka, wstawić szamotanie z rozpięciem biustonosza.

– Jak tam? Trafiłaś bez problemu?

– Źle mi tu.

– Eee... w sensie: nie podoba ci się miejsce – zdziwiony rozejrzałem się dookoła.

– Nigdzie mi się nie podoba. Chyba zrobię sobie kolczyk w ustach.

– Możemy iść gdzie indziej – zaproponowałem.

– Gdzie indziej też będzie źle.

Tośmy pogadali. Cisza. Miałem rozdziawioną ze zdumienia gębę niczym pelikan. Spróbujmy jeszcze raz.

– Okay. Kiedy chcesz zrobić ten kolczyk?

– Chyba w lutym.

– To chyba boli?!

– Tak, tak boli – Maja się ożywiła. – Nie mogę się doczekać. A jak zrobię sobie w wardze, to później będę miała w języku!

– No cóż, kolczyk w języku może się przydać do paru ciekawych rzeczy. Napijesz się czegoś? Może coś do jedzenia?
– Nie chce mi się pić. Nic mi się nie chce!
– A na co masz ochotę?
– Pocięłabym się.
Spojrzałem na laskę, myśląc, że żartuje. Wyglądała śmiertelnie poważnie. Okay, panie Freud, to było niezłe, dowcipne całkiem, ale teraz już dajemy sobie spokój. Tak?
– W sensie seksu czy rżnięcia – zaryzykowałem dowcip.
– Każdy dzień przynosi nowy ból.
Zrobiłem się delikatnie nerwowy.
– Dwie herbaty, dwa makowce poproszę – powiedziałem do kelnerki. – Ból?
– Ból – potwierdziła. – Wszystko jest bez sensu. Życie jest bez sensu.
– Ja bym znalazł kilka plusów.
– W ogóle mnie nie rozumiesz! – Maja podniosła głos tak, że kilka osób siedzących nieopodal spojrzało się w naszym kierunku.
– Okay, okay. Spokojnie – obejrzałem się nerwowo. – Chodzi mi o to, że we wszystkim należy szukać dobrych stron. Spójrz tak: kiedy byłem małym chłopcem i miałem coś koło sześciu lat, wracałem z przedszkola do domu. Piękna scena. Naprawdę wzruszająca. Trzymałem matkę za rękę. Wszystko dookoła wyglądało jak z *Misia Uszatka* i *Pszczółki Mai*. Nie licząc tego, że potwornie chciało mi się… Zasłoń uszy. Kupę mi się chciało. Bardzo. Bardzo! Gdy wychodziłem z przedszkola, już mi się chciało, ale wtedy starsza powiedziała mi, że wytrzymam, więc ścisnąłem zwieracze i wsiadłem z mamą do autobusu. W autobusie ścisk jak cholera, ja przestępuję z nogi na nogę. Czujesz to napięcie?

Mina Majki była równie obojętna jak Anity Werner w trakcie prowadzenia *Faktów*.

– „Mamo, ja muszę!" (wstawić błagalny głos). A starsza każe mi poczekać jeszcze chwilę. „Mamo, ale ja naprawdę muszę!". Starsza odpowiada, żebym poczekał jeszcze piętnaście minut. Nie poczekałem. I... zesrałem się prosto w kalesonki (tu koniecznie musi być dużo wykrzykników). I co, zesrałem się to źle, nie? Ale tłok koło nas się zmniejszył i już do końca drogi jechaliśmy we względnym luzie. Ja też już stałem spokojnie...

Maja nadal nie reagowała.

Kelnerka przyniosła herbatę i makowiec.

– Dzięki! I rachunek od razu poproszę – dodałem zapobiegawczo do kelnerki. – Jak widać, życie ma swoje plusy.

Kątem oka zlustrowałem kelnerkę.

Była niezła.

– Życie jest gówniane!

– Tylko w kalesonkach – błysnąłem.

Nadal nic.

– Co ci się w życiu nie podoba? – zapytałem zrezygnowany.

– Wszystko. Coraz częściej mam myśli samobójcze. Mam już plan, jak chciałabym popełnić samobójstwo!

– Jak?

– Potnę się. Małą srebrną żyletką. Mam taką żyletkę pod poduszką. Trzymam ją w srebrnym pudełku. Srebrnym, jak na wampiry. Oglądasz *Zmierzch*? Nie? Szkoda. To jest bardzo pouczający film. Dobry, bardzo dobry. Kocham Pattisona. Pattison jest taaaki przystojny. I ma takie fajne włosy. Nie to, co ty. A taka żyletka uzależnia. Tniesz się raz i cię boli, ale ci tego brakuje i później masz ochotę jeszcze raz i jeszcze raz...

– To tak jak z seksem. Ale seks jest zdecydowanie mniej bolesny – zauważyłem. – I kiedy się zabijesz? Bo mi chyba umknęło?

– Nie wiem. Wkrótce. Muszę jechać wpierw na wakacje. Rodzice wysyłają mnie do San Francisco.

– Super! Zajebiste miasto. Byłem tam.

– Nic nie rozumiesz!!! To tragedia!!!

– Yyy???

– Po co mam tam jechać? Tylko sobie uświadomię, że już nigdy nie zostanę sławną piosenkarką! Że nie będę światową gwiazdą! Że moje marzenia nigdy nie staną się rzeczywistością! Czuję ból! Rozpacz!

Majka znowu zaczęła wchodzić w wysokie rejestry. Co, przyznaję, napawało mnie pewnym niepokojem.

– Życie to nie bajka – stwierdziłem uspokajająco i poklepałem ją po dłoni.

– Żebyś wiedział! Kurwa, co za życie. I jeszcze wszyscy na mnie się w szkole gapią. Głupie ciule. Szczeniaki.

– Eeee… Ile ty właściwie masz lat?

– Siedemnaście.

– Pisałaś, że dwadzieścia jeden?

– Nie mam nastroju na takie rozmowy. Jestem tylko ja i moje problemy!!! Poza tym muszę iść. Jestem jeszcze z kimś umówiona.

– Koleżanka? Zawsze możesz ją wziąć ze sobą – zaproponowałem.

– Nieee. Mam jeszcze spotkanie z jednym facetem.

– Jeśli nie jest mną, to szybko pójdzie – wyraziłem przypuszczenie graniczące z pewnością. – Chyba że to jakiś nekrofil. Albo chociaż sadysta.

– Później są jeszcze dwaj – stwierdziła dumnie.

– Masz tempo – przyznałem.

– Pół godziny na jednego. Wystarczy, by dowiedzieć się czegoś.

– To cześć – pomachałem jej z rogu kanapy.

Odsiedziałem jeszcze trzydzieści sekund, czekając, aż zejdzie po schodach. Dokończyłem makowiec, który w Słodki – Słony był zajebisty. Wyciągnąłem iPhone'a, wszedłem na swoje konto mailowe i znalazłem numer telefonu kandydatki numer dwa.

Wyznam szczerze: straszliwie chciałem coś przelecieć dzisiaj wieczorem. Okay, zabijcie mnie.

– Hej. Czarny z tej strony. Nadal chcesz mnie poznać?

– Późno jest.

– Dwudziesta druga. Wcześnie. Zresztą, mogę po ciebie podjechać.

– Gdzie?

– Słodki – Słony?

– Mokotowska, niedaleko Kruczej. Będę za trzydzieści minut – powiedziała. I się rozłączyła.

Nie ukrywam, zaskoczyła mnie. Mężczyzna jest mężczyzną, jak wstanie z łóżka. Ale kobieta, powiedzmy sobie szczerze, potrzebuje z godzinę, zanim będzie jako tako zrobiona na swoją płeć. Skrobanie, tynkowanie, malowanie, golenie. A tu trzydzieści minut? Jakaś wyjątkowo szybka sztuka. Chyba że pracuje gdzieś w pobliżu. Pijąc doppio, przejrzałem jej profil. No, dupa jak dupa. Blond włosy wpadające w rude, kończące się w okolicach ramion. Twarz pucułowata. Oczy za małe. Usta za duże. Ale rysy, powiedzmy, regularne, bo kości policzkowe są wystające, a nos niewielki. Na zdjęciach nie ma całej sylwetki, więc pewnie dupa ma dużą dupę.

Dupa z faktycznie dużą dupą pojawiła się nie po trzydziestu, ale po czterdziestu pięciu minutach, co i tak było jak na kobietę wynikiem przyzwoitym. Miała spódnicę ołówkową, w której ponoć każda kobieta wygląda dobrze, i zero dekoltu, co przyjąłem z rozczarowaniem, ale godnie.

Wstałem.

– Hej. Czarny.

– Cześć. Monika.

Panna siadła i ścięła mnie wzrokiem, niczym biolog niezwykle interesującą bakterię pod mikroskopem. Ładna kelnerka podeszła i spojrzała złośliwie w moją stronę.

– To co zwykle?

Zignorowałem ją. Cóż miałbym za godność osobistą, jeśli padałaby pod jednym kobiecym spojrzeniem.

– Zjesz coś? Napijesz się czegoś? Mają naprawdę dobry makowiec.

– Wiem. Znam to miejsce. Często się tu spotykam z… Ze znajomymi się spotykam. Nie wiem, czy coś powinnam zjeść. Jestem na diecie. Herbatę poproszę. Zieloną.

– Ja to samo.

– I może coca-colę. Aaa, zaszaleję. Poproszę tort kajmakowy. Jakiś mały kawałek.

Kelnerka: – Wszystkie ciastka są takie same.

Monika (głośniej): – Ja życzę sobie jednak mniejszy.

Kelnerka (w myśli): „Co za sucz!".

Zebrana dookoła publiczność przy stoliku obok, razem z pewną sympatyczną brunetką, na którą zwróciłem uwagę od razu, gdy wchodziłem do knajpy (w myśli): „Co za sucz!".

Ja (w myśli): „Co za sucz! Ciekawe, czy ma cellulit. Te nogi pod spódnicą wyglądają całkiem nieźle".

Monika: – Przyznaję, że miałam wątpliwości, czy się z tobą spotkać. Mam ważne pytanie.

– Tak?

– Czy jesteś katolikiem?
– Wydaje mi się, że nie jestem jeszcze ateistą. A co?
– Nie mogę się spotykać z mężczyzną, który nie zgodzi się wychowywać dzieci w wierze katolickiej.
– Wiesz, z całym szacunkiem, ale chyba trochę za wcześnie na dzieci. Dopiero się spotkaliśmy – zauważyłem ostrożnie.
– Nie chcę tracić czasu.
– Poza tym nawet jeszcze nie poszliśmy do łóżka.
– Jestem katoliczką. Nie uprawiam seksu przed ślubem.
– Nawet oralnego?
– Słucham???
– To jak masz wiedzieć, że facet, którego wybrałaś, jest dobry w łóżku? – zaciekawiłem się.
– Seks służy do prokreacji.
– Może wpierw poćwiczmy, hę? Żeby się lepiej przygotować. Proponuję duet synchroniczny, ćwiczenia na puzon i waltornię...
– To znaczy?
– To instrumenty dęte – wyjaśniłem ochoczo. – Ich obsługa polega na intensywnym dmuchaniu... Wymagane jest też odpowiednie ustawienie języka.
– Cham!
– To sztuka. Ty będziesz puzonem sopranowym, ja basowym.
– Po moim trupie!!!
– Nie wiesz, co tracisz – westchnąłem boleśnie. – Rachunek poproszę!
– Myślałam, że jesteś inny. W opisie wyglądałeś na porządnego faceta.
– Tylko wyglądam. Miło cię było poznać.
Wstałem, zostawiłem pięćdziesiąt zeta na rachunek.
– Będę się za ciebie modlić!

– A ja wspominać twoje cycki. Szkoda, że takie skarby tak się marnują.

Wylazłem ze Słodki – Słony zły.

Telefon zadzwonił, gdy szedłem do samochodu. Oczywiście zaczynało padać. Jakby ktoś mnie pytał o zdanie, to ostatnio Polska przesunęła się do Azji, a w czerwcu startuje u nas pora deszczowa, która kończy się w listopadzie. Później jest zima.

Na ekranie pojawiła się postać Królowej Śniegu. Oznaczyłem nią Olgę.

Kim jest Olga?

Żoną moją jest.

Dobre, nie?

Okay, żartowałem.

Olga jest moim friendem z pracy.

Ma trzydzieści pięć lat, tak samo jak ja, i jest prawnikiem. Przepraszam, radcą prawnym. Też tak samo jak ja. Można powiedzieć, że sporo nas pod tym względem łączy. Tylko że ona kończyła prawo w Poznaniu, a ja w Warszawie. I miała średnią 5.0 (to też inaczej niż ja).

Olga jest ciągle wkurwiona.

Ale jest kobietą i musi się starać dwa razy bardziej, żeby ktoś zwrócił uwagę na coś więcej niż tylko cycki (których, moim zdaniem, nie ma).

Myśli, że nikt nie wie, że ma profil na sympatii (to, paradoksalnie, mała firma, a najbardziej plotkują sekretarki). Co piątek umawia się z facetami z netu gdzieś na mieście. Po tych spotkaniach jest jeszcze bardziej wkurwiona. Kasę, którą zarabia w korporacji, wydaje na brokat i błyszczyki do ust. Oraz fitness club. Z przykrością stwierdzam, że jest ładna. Ale…

„Gdzie się mieszka i pracuje, tam się chujem nie wojuje". Copyright by Leon Niemczyk.

Nacisnąłem „Odbierz".
– Cześć, Czarny.
– Cześć, Królowo Lodów.
– Gdzie siedzisz, biały kozaczku?
– Słodki – Słony. Wpadniesz?
– Dali ci już tabliczkę przy stoliku z imieniem, nazwiskiem i napisem rezerwacja?
– Jeszcze nie. Kwestia czasu. Ale czekam na jakiś rabat. Przydałby się. Wpadniesz?
– Do twojej garsoniery? – prychnęła. – Chyba żartujesz. Rusz tyłek do Szpilki.
– Do tej lansiarni dla warszawki? A mam inne wyjście?
– Nie dramatyzuj.
– Jak tam twoja randka?
– Nie chcę o tym gadać.
– Dobra, to będę za pięć minut.
Podjechałem najważniejszą kobietą swojego życia. Jest czarna. Na imię ma Honda. A na nazwisko Civic Type R VTEC. Jej znak zodiaku to dwa litry pojemności, a ulubionym dniem tygodnia jest 201 koni pod maską (teoretycznie mógłbym się ścigać z porsche, ale jakoś nie było okazji).
Jak zwykle był mrok z zaparkowaniem, mimo że minęła dwudziesta trzecia. Stanąłem pod PAP-em, tarasując 9/10 chodnika. Straży miejskiej odbierało mowę od takiej bezczelności i rzadko dawała mi mandaty.
W Szpilce można lansować się na dole albo siedzieć na górze.
Olga siedziała na górze. Piła kawę.
Podszedłem niczym Bogart. Znaczy się nie jestem niski, nie mam prochowca, nie piję łychy zamiast śniadania, ale powiedzmy, że mam styl.
– *Yo, yo, pretty lady. Can I join in?*

– Nie wiem, co masz gorsze: akcent czy gramatykę. Siadaj, prostaku. Królowa łaskawie zezwala.

Usiadłem na poobijanym krześle.

Olga spojrzała na mnie jak krowa na pociąg.

– Jak wychodziłem z pracy, spotkałem w windzie Stefana.

Stefan to nasz szef. Będzie o nim później.

– Mów!

– Spokój mi tutaj! Chwila dla pracownika była. Opowiadał mi o kumplu z Konstancji, Aleksie. Afro Aleks jest menago i CEO. Się wytuczył na polskich bigosach, pierożkach i goloneczkach. Kolo zmienił wymiary. Przeskoczyć go łatwiej niż obejść. Stefan spotkał go wczoraj na leśnej dróżce, a ten… szczupły jak slim fast.

– *How?!*

– Wybrał się na dwa tygodnie na wczasy odchudzające. Nie jadł nic. Kąpał się w zimnym strumieniu. Miał dwa razy dziennie lewatywę. Nawet pielęgniarka mu jej nie robiła, tylko sam ją sobie trzaskał. Zrobili mu czyszczenie jelit. Dwa razy! I za te wszystkie przyjemności zapłacił… Ile? Strzelaj!

– Nie lubię takich głupich zgadywanek. Mów, Czarny, nie onanizuj się mentalnie.

– Dziesięć dużych klocków.

– Ładnie – Olga gwizdnęła z uznaniem.

– To nie koniec. Na turnus zapisał się z rocznym wyprzedzeniem, bo chętni podobnież walą drzwiami i oknami.

– Każdy japiszon ma zatwardzenie.

– No. Chyba otworzę coś podobnego u siebie w domu. Ceny będą konkurencyjne. Zamiast strumienia – hydromasaż. Lewatywa wliczona w koszty…

Olga zaczęła się śmiać.

– Taki pensjonat to już masz. Tylko pacjentki są młodsze. I zabiegi lecznicze inne.

– Jassssne. Powiedz lepiej, jak twój kandydat do seksu.

– Który?

– Nie udawaj głupiej. Ten, którego spuściłaś na drzewo dzisiaj. Nie sądzę, abyś siedziała tu dla kawy. I mojej fascynującej osobowości.

– Nie przypomina Sawyera z *Lost*. Za dużo mówił o pracy i znajomych z pracy i znajomych znajomych z pracy. Miał brudne buty i za duży nos. I za długie włosy. I kiedy wracałam z łazienki, nie wstał na mój widok.

– Świnia! Gdzie pracuje?

– Media.

– Oooo! Pisze czy się pokazuje?

– Pisze. W „Wybiórczej". Chcesz wiedzieć, jak się robi gazetę? I kto ją robi? Przez dwie godziny dowiedziałam się naprawdę dużo na ten temat.

– Nie, dzięki. Może innym razem.

– A ta twoja?

Podniosłem dwa palce do góry.

– Dwie?

– No.

– Nie marnujesz czasu.

– Staram się, jak mogę.

– I jak?

– Wpierw *Milczenie owiec*, a później *Egzorcysta*.

– *Well, Czarny – have the lambs stopped screaming?*

– Bardzo zabawne.

– *What an excellent day for an exorcism...* Sssały, połykały?

– Nie tym razem. Pierwsza od razu założyłaby mi na fiuta kilka ćwieków. Przy drugiej musiałbym go wpierw poświęcić.

– Powinieneś znaleźć sobie jakąś czterdziestolatkę. Nie miałbyś siły, żeby umawiać się z innymi laskami.
– Kogut cały czas mi to powtarza.
– Ten bandyta, z którym chodzisz zdziry zaliczać?
– Mhm.
– On skończy w pierdlu. Musisz mnie z nim poznać.
– Po co ci to?
– Czy ty wiesz, co taki mięśniak potrafi w łóżku?
– Tak się złożyło, że wiem.
– O, Czarny, nie znałam cię od tej strony. *Passiv? Activ?*
– Bądź damą, Scarlett.
– Powiedz, Rhett – Olga zrobiła kolibra rzęsami, a usta postawiła w ciup.
– Na policjantów to działa?
– Koliber?
– Tak.
– Zawsze.
– Szkoda, że ja tak nie potrafię. Miałbym z dziesięć punktów mniej.

Posiedzieliśmy chwilę w milczeniu. Olga popijała latte. Wyglądała git. Chuda, wysoka, z małymi dramatycznie sterczącymi cyckami. Ciemne jak smoła włosy. Błyszczące, może trochę za wąskie usta. Jasna cera, bo Olga nienawidziła słońca, a wszystkie solaria w kraju by przymusowo pozamykała. („Nic tak nie postarza, Czarny, jak solarium. Pamiętaj. Posłuchaj Ireny Eris. Kto jak kto, ale ona zna się na tym, Czarny").

Wielkie, granatowe, ciskające gromy oczy. Jej nogi uciekały spod kończącej się przed kolanem czerwonej sukienki, spiętej szerokim paskiem z jakiejś plecionki. Rozkloszowana? Tak chyba się mówi. *Audrey Hepburn style*. Redaktorek miał czego żałować.

– A jak tam alfabet? – zapytała.

– Załapałem ostatnio „R".
– *Respect.*
– Żebyś wiedziała. Nie jest łatwo o „R".
– Głównie Renata?
– Rachela, Regina, Romana, Rozalia. Czyli wycieczka do Izraela albo do domu starców.

Alfabet to pomysł Jara, kumpla Kury, który z kolei jest moim kumplem. Jaro jest fotografem, lat 47, który jest znany z tego, że jest znany. A oprócz tego pije dużo i kopci dużo panienek.

Najlepiej o nim mówi historia z początku lat dziewięćdziesiątych, kiedy przyjechał do Gdańska fotografować zjazd Solidarności. Zjazd jak zjazd. Wódka, obrady i Wałęsa. Jaro zrobił zdjęcia, czy co tam miał zrobić, i dalej pił. Za zdjęcia dostał później kilka nagród. Ale to było mimochodem, bo głównie pił. W intencji odzyskanej przez ojczyznę niepodległości, jak by woleli niektórzy, bądź dla płochej rozrywki, jak by woleli inni.

Na koniec pierwszego dnia zjazdu Jaro wtoczył się do hotelu naprany jak szpadel. Panienki wyprostowały się jak na defiladzie i zapiszczały: „Dzień dobry panie Jarku". Jaro błędnym spojrzeniem zlustrował kurwy. Wszystkie w wytapirowanych włosach, mocnym makijażu i obłędnych mini. Blond tapir. Blond tapir. Rudy tapir. Blond tapir. Czarny tapir. Wybrał blond. „Tylko czekaj na mnie!" – powiedział i poszedł pić dalej.

O piątej nad ranem wrócił. Otworzył piwo. Nalał do szklanki. Postawił je na porannego kaca na szafce. Rzucił się na łóżko i od razu zasnął. Rano się budzi. We łbie mu zapulsowało. Sięgnął łapą na szafkę po ciepły i wygazowany browar. Wypił duszkiem. Czknął z ulgą. Patrzy w bok, a w pokoju siedzi kurwa i robi na drutach wyjętych z torebki. Sweter.

– Co ty tu robisz?

– Pan wzywał, to czekam, nie?

Jaro, według legendy, trzy razy zrobił alfabet. Idea jest prosta: każda litera to imię jednej kobiety. Czyli jeśli spałeś z Agnieszką – masz „A". Z Barbarą – „B". Kolejność dowolna, czyli po „F" możesz mieć na przykład „S", a przed „A" trzy razy „Z". Liter w alfabecie łacińskim jest dwadzieścia sześć, czyli jeśli masz fart, wystarczy przespać się z dwudziestoma sześcioma kobietami. Najtrudniej jest rzecz jasna z „Q", „X" i „V." Innymi słowy, trzeba jeździć za granicę. Parę liter można zawsze trzasnąć w siedemnastym województwie RP, szwendając się po Lądku/Londynie. To miło mieć jakiś cel w życiu poza zmywakiem.

Wcale łatwiej nie jest z „F" (Faustyna, Felicja, Filomena, Florentyna, Franciszka).

„F" nie mam do tej pory. Za to nadmiar „A", „M" i „K".

Osobę, która zrobi alfabet, czeka podziw męskiej części społeczeństwa. I wieniec łonowy z wielu łon.

– Dobra, Czarny, teraz odwieziesz mnie do domu.

– Sorry, „O" już mam.

Olga spojrzała na mnie jak na idiotę.

– Wiem, że słabe, ale nie mogłem się powstrzymać.

– Idiota.

– A co, nie brałaś samochodu?

– Nie zmieniaj tematu. Toń dalej tym Titanikiem.

– To brałaś czy nie?

– Nie sądziłam, że będzie potrzebny. Planowałam ten wieczór spędzić w łóżku z perwersem, który mnie solidnie wygrzmoci. Nawet pas od pończoch na tyłek naciągnęłam. Wiesz, jakie to jest niewygodne?

– Za mało doświadczeń. Fetysz mnie nie ciągnie.

– Nie miałam faceta od… – Olga liczyła na palcach – pięciu miesięcy. Nie, czekaj. Wliczając dzisiaj, to pięciu miesięcy, dwóch tygodni i jakichś czterech dni. Wiesz, co to znaczy nie bzykać się tak długo?

– Tak się złożyło, że wiem. Mój rekord bez seksu to szesnaście lat. Ale od tej pory staram się nie robić przerw dłuższych niż dwa tygodnie.

Olga mnie zlała, bardziej przejęta swoim dramatem.

– Nosi mnie. Zaraz pryszczy dostanę. Niewyżyta się staję. Dzisiaj byłam dupą myśląca. Miał mnie rzucić o ścianę. I za włosy. Ile razy, myślisz, normalna kobieta dała mu na pierwszym spotkaniu?

– Mało? – zaryzykowałem.

– Sądząc po jego manierach, byłabym pierwsza – prychnęła. – Wstałby rano i czułby się jak bóg seksu. Mokre marzenie nastolatka: plus dziesięć do ataku. Wystarczyło, żeby był MIŁY!

– Miał ci kupić karton rafaello? Pokarm dla baletnic?

– Wystarczyłyby kwiaty, szampan i truskawki – odpowiedziała z godnością Olga.

– Weź mu napluj na buty, jak go zobaczysz następnym razem. Albo jebnij z liścia – poradziłem z dobroci serca.

– Nie będzie żadnego następnego razu! Powiedz sam, Czarny, co ze mną jest nie tak?

– Yyyy...

Rozmowa zaczęła zbaczać na niebezpieczne tematy.

– Wszystko jest okay. Może Loda ty nie jesteś, ale w sumie nie ma się do czego przyczepić – zapewniłem energicznie.

– Ty to wiesz, jak powiedzieć komplement kobiecie – prychnęła.

– Pokaż rękę. Powróżę ci.

Wziąłem jej dłoń w swoją dłoń.

– Masz niezłe nogi.

– I wyczytałeś to z ręki?

– No.

– Straszna tandeta.
– Ale za to jak działa.
Olga nadal gotowała się na ostrym ogniu.
– To co, idziemy? – zapytała naburmuszona.
– Idziemy – westchnąłem.
Kiwnąłem na kelnerkę. Wyglądała jak z Fashion TV. Była chyba jeszcze szczuplejsza od Olgi. Jeśli to w ogóle możliwe. Miała odsłonięty brzuch z kolczykiem zasłaniającym cały pępek, czarne spodnie biodrówki i procę z tyłu. Cycki też niewielkie. Włosy za to niezłe. Długie i spięte w koński ogon. Lubię. Na kiwanie nie zareagowała. Kiwnąłem jeszcze raz. Nadal nic. Najwyraźniej miała mnie w dupie. Kelnerki ze Szpilki uważają się za gwiazdy. Ale miło, że ktoś od razu rozstrzyga swój stosunek do napiwku. Odegrałem więc festiwal machania rękoma i min mających skłonić ją do podejścia bliżej.
– Nie machaj tak, bo się spocisz. Wystarczy krzyknąć. Coś podać jeszcze?
– Nie wiem… Azjatycki peeling? Masaż pleców? Depilację woskiem?
– To jest restauracja. Nie peep-show – kelnerka mrugnęła do mnie okiem.
– Aaaa! Wiesz, też tak myślałem, ale jak sobie poczekałem z dziesięć minut na ciebie, zmieniłem zdanie. Rachunek. Poproszę – dodałem i mrugnąłem okiem.
– Razem czy osobno?
– Pan płaci – powiedziała Olga.
Spojrzałem za siebie.
– Eeee???
– Jestem damą – rzekła Olga z prostotą. – Damy nie płacą za siebie rachunków.
Przez moment miałem ochotę powiedzieć kilka słów na temat wygodnego przeskakiwania przez płeć piękną

od feminizmu do bycia damą, ale spojrzałem na wyraźnie zadowoloną z siebie Olgę i dałem spokój.

Kelnerka, lekko naburmuszona, przyniosła rachunek. Zlałem ją. Wziąłem rachunek.

– Ten facet to faktycznie świnia – skomentowałem kąśliwie. – Poszedł i nawet za siebie nie zapłacił. Gdzie on się wychowywał? W chlewie?

Olga nie skomentowała.

– Sto osiemdziesiąt zeta? Co wyście tu żarli? – Nie czekając na odpowiedź, przeczytałem na głos: – Łososiowa z serem i grzankami. Pierogi z soczewicą, borowikami i łososiem. Placki ziemniaczane z łososiem, kawiorem i śmietaną. Jezus, kurwa, ja pierdolę, piwa też piliście z łososiem?!

– Nie piliśmy piwa, tylko wino. Słabe, jeśli pytasz mnie o zdanie. Miało tyle głębi, ile polska kinematografia. I fatalną końcówkę. Płać i spadamy stąd.

Z westchnieniem wyjąłem z portfela stówę i dwie pięćdziesiątki. Położyłem na stole. Po namyśle dołożyłem do tego pięć zeta. Wydało mi się jakoś za mało, więc dołożyłem jeszcze pięć. Ale z drugiej strony... Miałem nie dawać napiwków. Zabrałem pieniądze. Hmm... Ale z drugiej strony, czy to nie byłoby chamskie? Może dam jej chociaż pięć zeta. Położyłem z powrotem pięć zeta. Olga, już gotowa do wyjścia, przestępowała z nogi na nogę przy schodach.

– Idziesz już?

– Idę – burknąłem.

Do pięciu zeta dołożyłem pięć, które trzymałem w ręce i zacząłem schodzić na dół. „Hmm, ten koński ogon był całkiem niezły", pomyślałem. Zawróciłem na pięcie, do rachunku dołożyłem jeszcze 10 zł i obejrzałem się dyskretnie, czy ktoś widział moje akrobacje. Nikt. Oprócz kelnerki rzecz jasna. Spojrzała na mnie jak na idiotę. Okay, laska, może i fajnie się cieszesz, ale nikt nie będzie z takiego powodu patrzył na mnie jak na przygłupa. I zabrałem dychę.

Olga czekała przed wejściem.

– *Say something sexy, baby! Something nasty!*

– Pomidor.

– Och! – jęknąłem w udawanym orgazmie. – Gdzie idziesz? Nie tam – szarpnąłem ją za ramię. – Stoję przed PAP-em.

W milczeniu poszliśmy do samochodu.

– Wiesz, co to jest myjnia?

Nie zareagowałem na tak oczywistą zaczepkę. Otworzyłem jej szarmancko drzwi. Olga jęknęła z rozpaczą.

– Ale masz syf w tym samochodzie. Nie przykleję się tu do czegoś?

– Nie mów do mnie jak do męża – burknąłem. – Czekaj, przesunę te graty.

Wrzuciłem na tył stertę papierów z pracy. Z podłogi podniosłem puszkę po red bullu, jedno opakowanie po kanapce z Subwaya i bidon po isostarze. Zamknąłem klapę od schowka.

– Lepiej?

– Masz może chusteczki? Położę na siedzeniu.

– Nie, nie mam żadnych walonych chusteczek. Ale zawsze możesz zadzwonić po taksówkę. Okay?

– Dobra, dobra. Nie mów do mnie jak do żony.

Usiadłem. Zapiąłem pasy.

– To gdzie cię zawieźć?

– Do domu. Metro Stokłosy.

– Okay.

Olga siedziała z nosem wlepionym w tapicerkę, strzelając focha.

– Olga, skoro tak cię wkurzam, to nie musisz ze mną jechać.

– Przepraszam, a czego oczekujesz? Mam stepować?
– Zabawiaj mnie – stwierdziłem łaskawie.
– Cholera, widziałeś? Moja bluzka! Cholera, zaplamiłam winem bluzkę!
– Ooo, widzisz, już lepiej!
– Moja ulubiona bluzka! Winem, do kurwy nędzy! I co ja z nią teraz?!
– *You are so dirty. I like it.*
– Nie wkurwiaj mnie!
– Mała plama. Zejdzie.
– A jak nie zejdzie?!
– Zejdzie. W schowku masz sól.
– Wozisz sól w samochodzie? – zdziwiła się Olga.
– Ty się ciesz, torbo, że wożę. Inaczej mogłabyś tę bluzkę wyrzucić do kosza.
– Mówiłeś, że to mała plama!
– Kłamałem. Chciałem cię pocieszyć. Ale później mi się o tej soli przypomniało.
Przerwa. Olga energicznie posypywała się solą. Wytrzymała w milczeniu do metra Politechnika.
– Śniłeś mi się dziś w nocy – powiedziała niechętnie.
– I...? Bzykaliśmy się?
Cisza.
– Dobry byłem?
– Nie!!!
– Fakt, to mogłem być ja – przyznałem.
– Czy my musimy zawsze rozmawiać tylko o seksie?
– Nie. Po namyśle... Możemy w ogóle nie rozmawiać. Poza tym to ty zaczęłaś.
– Po prostu, Czarny, nie możesz pieprzenia uczynić życiowym osiągnięciem.
– Nie mów mi, co mogę, a czego nie.

Olga zamknęła się i naburmuszona zaczęła grzebać w swojej torbie wielkości amerykańskiego lotniskowca USS Enterprise. Wygarnęła kosmetyczkę. Z kosmetyczki lusterko. Przejrzała się krytycznie. Wyjęła z kosmetyczki błyszczyk. Pomalowała usta. Schowała kosmetyczkę, wyjęła odtwarzacz mp3. Odtwarzacz rzuciła sobie na kolana. Dorzuciła do niego telefon komórkowy, chusteczki, kalendarz i *Postępowanie egzekucyjne* Pietrzykowskiego, które ma 628 stron. Dalej nie widziałem już co, bo jeden kretyn, nie włączając kierunkowskazu, chciał mnie staranować, wjeżdżając mi w prawy bok.

– Ty chuju złamany! – wrzasnąłem. – Chyba przy porodzie lekarz cię upuścił, a wstając, zawadził głową o róg stołu, kutafonie!!!

– Czarny, uważaj no. Jak jeździsz? – zamarudziła Olga z nosem w torebce.

– Jak JA jeżdżę?! – wrzasnąłem.

– Cicho. Masz batona.

Zamachała w moim kierunku bounty w rozmiarze XXL w pogiętym opakowaniu.

– Napoczęty – zamarudziłem.

– Ale był dobrze zawinięty.

– Eee…

– Całkiem niezły! Patrz – ugryzła spory kawał.

– Hej, jesz mojego batona!

– Masz, jedz i nie marudź – zaordynowała.

– Ooo, mam wreszcie!

Z torby wyciągnęła perfumy i popsikała się nimi obficie.

– Chcesz mnie zagazować?! I niedobry ten baton – poskarżyłem się.

– To go oddawaj! Nie będzie mi jakiś podrzędny prawniczyna marudził na dobrego batona, którego oddałam z własnej nieprzymuszonej woli.

Olga wyrwała mi baton z ręki. Zawinęła go w pogięte opakowanie i wrzuciła z powrotem do torby. Razem z odtwarzaczem, książką, telefonem, chusteczkami i perfumami, które tym razem wylądowały na samym wierzchu.

– Ciekawe, kto jadł tego batona przede mną?

– Ale ty marudny jesteś. Ciekawa jestem, jaka kobieta z tobą wytrzyma?

Mam nadzieję, że żadna.

Cisza trwała jakieś piętnaście sekund.

– I jak ci idzie sprawa Radzięciakowskiego?

– Bla.

– Serio pytam.

– Serio odpowiadam: bla, bla, bla.

– Kiedy masz rozprawę?

– Bla, bla.

– Długo tak możesz.

– Długo.

– Mów normalnie.

– To jest normalnie. „Bla, bla, bla" obrazuje mój stosunek do rzeczywistości. Mogę mówić „tak", „nie" i „tak". Nie ma znaczenia. „Bla" jest równie dobre.

– Bardzo zabawne.

– Chodzisz w stringach? – zmieniłem temat.

– Pomidor.

– Czemu pomidor?

– Bo nie ma znaczenia, co powiem, i tak wyobrażasz mnie sobie w stringach. Chodzi ci tylko o to, żeby mieć pod co kręcić śmigłem w łazience.

– Biorąc, pani mecenas, pod uwagę całokształt pani wypowiedzi, która jest spójna…

– …i koherentna…

– Spójna i koherętna azaliż.

– Jak we wniosku, wysoki sądzie – Olga poderwała leniwie do góry jedną szesnastą pośladka, obrazując tym samym niecną praktykę warszawskich prawników, którzy przynosili do sądu papiery zrobione przez aplikantów, a ich cała działalność polegała na tym, że na pytanie sądu, co strona ma do powiedzenia, odpowiadali dumnie: „Jak we wniosku, wysoki sądzie". Raczyli przy tym podnieść właśnie jedną szesnastą pośladka. Bo podniesienie całej dupy zbyt wielkim byłoby wysiłkiem.

– …się zastanawiam, co jako kobieta inteligętna.

– …i piękna, nie zapomnij – Olga znów wyciągnęła z torebki błyszczyk i obficie zaczęła smarować usta.

– …robisz tutaj, spędzając czas z takim prostakiem, erotomanem…

– …i dupkiem z ego o rozmiarach Empire State Building? Też zadawałam sobie to pytanie.

– I co ci wyszło?

Przekręciła kokieteryjnie głowę.

– Podoba mi się twoje ciało.

Samochód szarpnął.

– Paliwo ci się kończy. Kontrolka się pali.

– Eee, spokojnie, jeszcze przejadę z 50 kilometrów.

– Zaraz ci się skończy.

– Spoko.

– Jakby co, sam będziesz pchał.

– Dobra. Idę na to. Będę pchał i napinał pośladki, a ty będziesz w tym czasie czytać „Cosmo".

Oldze na razie zabrakło konceptu, aby odpowiedzieć na takie dictum. Przez resztę drogi jechaliśmy w milczeniu, a ja zastanawiałem się, jak w elegancki sposób nie wejść na górę, nie przelecieć Olgi *on the bed, on the floor, on the towel, by the door, in the tub, in the car, up against the minibar*, nie zostać u niej do rana, nie zjeść w kompletnym milczeniu śniadania, nie pojechać razem do pracy i nie umówić się z nią na kolejny wieczór dzikiego seksu. Który skończyłby się w jedyny możliwy sposób. Jakoś nie widzę siebie poginającego ze sportowym wózkiem i dzieckiem dookoła parku Szczęśliwickiego. Chociaż w sumie, Olga ma większe mieszkanie. Pewnie musielibyśmy sprzedać obydwa mieszkania i kupić dom. Kurwa, pewnie bym musiał strzyc co tydzień trawnik, a ona opierdalałaby mnie, gdybym go nie obciął. Wzdrygnąłem się z obrzydzenia.

– Gdzie teraz?

– Skręć w prawo przy Kangurku.

– Jakim, kurwa, kangurku?

– Sklep masz, ślepoto, po prawej! Pierwszy raz tu jesteś czy jak?

Skręciłem w prawo.

– Teraz lewo.

– A teraz?

– Teraz to szukaj miejsca do parkowania.

– Gdzie ja ci tu znajdę miejsce do parkowania? Wszystkie klony już do domu wróciły. W Galerii Mokotów w godzinach szczytu byłoby łatwiej.

– Wejdziesz na górę?

– Nie, dzięki. Nie słuchasz mnie?! Nie ma gdzie zaparkować.

Wrzuciłem awaryjne i wyłączyłem silnik.

– Może jednak? – Olga przegięła się w tanecznym pas. Potrząsnęła włosami, włożyła palec do ust i zaczęła nim zachęcająco wodzić po wargach. Tak na wszelki wypadek musiała uznać, że jestem ślepy i potrzebuję bardziej precyzyjnych oznak zachęty.

– *Read my lips.* NIE-MAM–GDZIE-ZAPARKOWAĆ! A poza tym, zajęty jestem. Muszę… Co ja muszę? Pranie muszę zrobić. I robotę mam jeszcze. I mleko na gazie zostawiłem.

– Czarny, od kiedy ty pracujesz w domu, co? Chcesz się grzmocić czy nie? – Olga wyraźnie się zniecierpliwiła. – Tylko *fucking friends*, nic poza tym.

– Nie. To znaczy chcę. Ale nie z tobą. O, kurwa, to skomplikowane jest, no.

– To spierdalaj! – szczęknęła. – I zjaw się, jak się namyślisz. Tylko wtedy może być za późno!

Jebnęła drzwiami, odwróciła się na pięcie i poszła. I bądź tu szlachetny wobec kobiet. Westchnąłem ciężko. Bardzo ciężko. Dobra, rycerzu, teraz odpalisz samochód i odjedziesz w stronę zachodzącego słońca. Przekręciłem kluczyk w stacyjce. Zajazgotał i zgasł.

– No dalej, suko!!! – użyłem magicznego zaklęcia.

Przekręciłem jeszcze raz.

Wrrrr, zig-zag. Pizg.

Chuj.

To mogło oznaczać tylko jedno.

Właśnie, do kurwy nędzy, zabrakło mi paliwa.

Rozdział 2
Kopro

Motto:

Zaprawdę powiadam wam, mówi dobra księga: cisi posiądą ziemię. W przekładzie znaczy to: głupi są najwytrwalsi.

(Anonim)

I'd like to have your advice on how to live comfortably without working hard.

(Jack Favell)

Czas spędzam w korporacji na 25 piętrze (kłamię, nie powiem wam, które to jest piętro) w kancelarii Dupek & Dupek & Złamany Kutas oraz wspólnicy. Mój adres to piotrc@ddzk.com.

Generalnie prawo wydaje się ludziom trudne, bo używa się wielu trudnych słów, jak: komandytariusz, posesor, *prius quam exaudias ne iudices*. Trudne i nietrudne – mój wykładowca kiedyś mi to na zajęciach ładnie wytłumaczył.

Był sobie sędzia. Wybitny praktyk i teoretyk. Wiele dla tego poziomu poświęcił. W wieku młodym, zamiast obmacywać panny i zrywać z nich majtki, macał jeno skórzane okładki prawniczych komentarzy. Garb mu od schylania się nad książkami rósł, a zimą szkliwo na zębach w chałupie pękało. Z zimna, bo go stać na ogrzewanie nie było. Nic to. Nadal się uczył. Pewnego dnia pan sędzia dostał awans do Sądu Najwyższego. Na jego ostatnią rozprawę w starym sądzie przyszli prawnicy z całej okolicy. Posłuchać mistrza. Traf chciał, że dwóch chłopów kłóciło się o miedzę. Sprawa była ciekawa dla teoretyków, z różnych względów, które są trudne albo nieistotne, więc na jedno wychodzi. Pan sędzia zaczął czytać uzasadnienie. Czytał bardzo mądrze i uczenie, aż wszyscy obecni na sali mecenasi, radcy i ich z deczka przygłupi praktykanci stwierdzili: tak, to wielki talent. Mozart paragrafów, Paganini uzasadnień, Michael Schumacher wykładni. Czytał dziesięć minut, pół godziny, godzinę. Skończył.

Chłop numer jeden spojrzał na chłopa numer dwa z wyrazem twarzy wyrażającym: kapujesz coś, kurwa, z tego? Numer dwa podrapał się po głowie. Sędzia wtedy spojrzał na chłopów, wskazał ręką i stwierdził:

– Pan wygrał, pan przegrał, dziękuję bardzo.

W tym momencie dowiódł, że jest godzien bycia sędzią Sądu Najwyższego. Znaczy się, prawo może być zrozumiałe dla każdego livesa.

U nas w firmie robimy to nieco inaczej. Proste rzeczy zabierają nam dużo czasu, klientom tłumaczymy je tak, aby na wszelki wypadek niczego nie załapali, a w zamian dostają duże rachunki. Cała sytuacja ma jedna zaletę: rachunki wystawiane są na bardzo eleganckim papierze z nazwą dużej korporacji w nagłówku. A ten ostatni element, wydaje mi się, satysfakcjonuje wszystkich.

– Co to jest gra wstępna?

– To jest to, co się dzieje, zanim zostaniesz wydymany. A gra wstępna rozpoczyna się zazwyczaj od słów: „Witamy serdecznie w skromnych progach naszej kancelarii".

Na 25 piętro jedzie się 3 minuty i 27 sekund. W windzie najgorsze jest to, że stykasz się z ludźmi, których nie znasz lub ledwo znasz. Ci, których nie znasz, są lepsi. Nie musisz z nimi rozmawiać, wystarczy tylko, że się uśmiechniesz i poudajesz sympatycznego. Z tymi, których ledwo znasz, trzeba rozmawiać. Dawniej wpadałem w takiej sytuacji w przerażenie. Teraz już wiem, że grunt to standard. W odwodzie mam trzy tematy:

1. Jak wolno jedzie winda.
2. Jaki jestem dzisiaj senny.
3. Co za wredna pogoda.

Później jest: „Dziękuję, trzymaj się ciepło, miłego dnia".

W normalnym języku dyskusja wygląda mniej więcej tak:

– O, kurwa, ale mam pecha, muszę jechać akurat z Tobą?

– Nic mi nie mów. Gdybym wiedział, poczekałbym na inną windę.

– No dobra, czym mi pozawracasz dzisiaj dupę? Tylko błagam, nie pierdol znów o pogodzie, bo mi się od tego rzygać chce.

– Lepiej zainwestuj w tic-taki.

– Ta z lewej ma niezłe cycki.

– To prawda, też bym ją przeleciał.

– To co, do jutra?

– No.

– Giń, skurwysynu!

– Spierdalaj, matkojebco.

Wychodzę z windy i idę do swojej klatki dla brojlera.

W pokoju jest nas czworo… i Gustaw, czyli mniejszy boss. Gustaw jest cztery lata ode mnie starszy i jest senior associate w dziale nieruchomości. Ma widok z 25 piętra na panoramę Warszawy. Dobry prawnik – dobry widok.

Oprócz mnie w pokoju są:

Marian – radca, zastępca Gustawa. 37 lat. Żona, małe dziecko, kombi, fotelik dziecięcy. Jego hobby to centra handlowe. Słynie z tego, że od trzech lat nie był na ulicy. W domu zjeżdża do podziemnego garażu. Jedzie do pracy. Wjeżdża do podziemnego garażu. Jedzie windą na górę. Po pracy jedzie znowu windą na dół, a następnie do podziemnego garażu w centrum handlowym. Jego świat jest bezpieczny, a mimo to cały czas się boi, że straci to, co ma.

Olga – mokre marzenie męskiej części kancelarii.

Krzysiek – starszy prawnik, 29 lat. Krzysiek jest chudy, wysoki i pryszczaty. Kończy aplikację radcowską i lubi amfetaminę. To nowe pokolenie. Interesują go głównie: kopro, kariera i golf.

No i jestem ja. Niektórzy nazywają mnie yuppie, bo pracuję, gdzie pracuję, i chodzę w garniturze do pracy. Nie zgadzam się z tym. Yuppie w naszym kraju byli na początku lat 90. Na knajpy i kurwy wydali kasę, którą powinienem zarabiać teraz ja. Nie czuję do nich żalu. Sam zrobiłbym na ich miejscu to samo. Ludzie, którzy mają dziś 45 lat, mają coś za sobą. Jakieś ideały, jakiś styropian. Wiedzieli, o co walczą: o wolność, kasę i większą liczbę produktów spożywczych. Mieli cel w życiu.

Mnie to nie łechce. Chciałbym chcieć spokojnej emerytury w wieku 35 lat.

Naszym szefem (czyli szefem wszystkich szefów) jest Stefan, przez wszystkich nazywany Terrible Stefanem. O Stefanie nikt nie mówi per szef. Stefan wystarczy, bo każdy wie, o kogo chodzi. Stefan równa się Posejdon. Stefan marszczy brew i wszyscy prawnicy robią pompki. Stefan jest niski. Ma 50 lat, kręcone siwe włosy i spojrzenie głodnego pytona. Chodzi w ciemnych, szytych w Londynie garniturach. Skończył Oxford. Dziesięć lat pracował w centrali naszej firmy w Anglii. Stefan „posiada doświadczenie w doradzaniu stronom umów kredytowych, prowadził liczne przedsięwzięcia z udziałem międzynarodowych instytucji finansowych, brał udział w wielu projektach prywatyzacyjnych, nadzorując zarówno zagadnienia z zakresu prawa handlowego, jak i umów dotyczących ich finansowania". Jeździ lexusem w wersji prestige. 283 konie za 402 tys. zł.

Gdyby mieszkał u Brytoli, kupiłby sobie rolls-royce'a albo bentleya. W Polsce, jak twierdzi, to zbędna ostentacja.

Stefan w firmie występuje w kilku stanach przejściowych. Jest Stefan wnerwiony, podkurwiony i ostro wkurwiony. W annałach firmy przechowywana jest historia, jak Stefan wezwał rok temu Gustawa na dywanik.

TEGO GUSTAWA, który studia zrobił w trzy lata, doktorat w półtora roku, a jego pech polegał na tym, że był na miejscu, kiedy coś się posypało. Stefan łypnął na niego okiem. I zapytał z niedowierzaniem: „Ty, Gustaw, ty chciałbyś zostać prawnikiem?!".

Tutaj wstawić ciszę.

I jeszcze trochę ciszy.

Oczywiście, że Gustawowi zabrakło konceptu, żeby to spuentować. Bo kiedy Stefan jest zły, gówno zastyga prawnikom w kiszkach niezależnie od stażu. Stefan wnerwiony zadaje pytanie: „Jak pięćdziesięciu prawników może pracować tak źle?". Odpowiedź brzmi: „Może". A źli prawnicy nie dostają premii i nie wychodzą przed dwudziestą drugą z pracy. Jeśli pierdolimy lub – jak kto woli – zawalamy ważny projekt, porządek dziobania jest następujący:

1. Dawane są sugestie partnerom.

2. Wspólnicy przekazują wskazówki (lekka zjebka) senior associates.

3. Opierdalani są zwykli prawnicy.

Efekt? Młodsi prawnicy nie mają weekendu.

Za to w piątki możemy nawet założyć ubrania z numerkami.

UBRANIA Z NUMERKAMI – Ciuchy kupowane w wielkich centrach handlowych w rodzaju: Esprit, Reserved, Gap, Abercrombie, Scotch and Soda. Przeważnie wielokolorowe. Często w wersji uniseks. Łatwo się je zdejmuje, co ułatwia wzajemną penetrację. Według przedstawicieli starszego pokolenia porzucenie ubrań z numerkami na rzecz garniturów równa się wkroczeniu w dorosłość.

Mieszkam sam. Półtora roku temu kupiłem dwa pokoje na Ochocie. Na kredyt, rzecz jasna. Wszyscy w tym mieście wszystko kupują na kredyt. To kolejna z rzeczy, które cię maksymalnie udupiają. Bierzesz kredyt i wiesz, że nie możesz pozwolić sobie na stratę roboty, bo twoje następne miejsce zamieszkania będzie na ławce przy Centralnym. Jak się człowiek dobrze zakręci, to dostanie miejscówkę przy wylocie ciepłego powietrza. Odpowiednik trzeciej gwiazdki w hotelu. Pracodawca, chcąc sobie stworzyć grupę pokornych niewolników, razem z umową o pracę powinien podstawiać do podpisania umowę kredytu hipotecznego. Takie dwa w jednym, *wash & go*. Wszyscy dostają to, czego chcą. A jaka oszczędność czasu. Czterdzieści lat pracy, czterdzieści lat spłacania kredytu. Trumna w promocji po spłacie.

I pracujesz więcej. Więcej. Więcej, więcej, więcej.

I wychodzisz później, później, później, bo nie masz dzieci i rodziny, tylko kumpli, którzy robią to samo, więc w sumie jest wam wszystko jedno, bo i tak pogadać możecie na sieci. I jak ci dobrze idzie, to na Wielkanoc i Boże Narodzenie firma przysyła ci koszyk z żarciem, wsadzając tam kilka win, praliny Lindt i zestaw do sushi, bo musi być międzynarodowo, musi być elegancko i musi być z klasą, a fakt, że jestem ateistą i żadnych świąt nie obchodzę, szefostwo ma w dupie.

Praca w korporacji przypomina głupi dowcip o Brutusie pedale. Otóż dawno, dawno temu w dalekim Rzymie był sobie Cezar. Cezar miał na utrzymaniu lud, który pyskował i domagał się rozrywki. Władca postanowił więc zamknąć niewdzięcznemu ludowi mordę. Innymi słowy – zorganizował igrzyska. Główną atrakcją imprezy miał być gladiator deflorujący sto dziewic. Cezar długo się wahał, komu powierzyć ten zaszczytny obowiązek. W końcu wybrał Brutusa. Brutus był chłop na schwał. Miał dwa metry wzrostu, twarz jak połączenie młodego Leonarda Cohena z Alem Pacino oraz naganiacza grubości dziecięcej ręki, którym potrafił chwacko wywijać. Skłonił się więc tylko przed Cezarem, kiedy usłyszał radosną nowinę, a jego naganiacz wzniósł się aż po klatkę piersiową, czując, jak jego właściciel, powagę sytuacji. Nadszedł wielki dzień. Brutus przelazł przez bramę Koloseum. Tłum zaczął ekstatycznie klaskać. Przed Brutusem rozpościerał się zadziwiający widok: sto dziewcząt przecudnej urody rozłożonych na ginekologicznych helikopterach. Oczywiście to, że wszystkie były dziewicami, nie budziło wątpliwości. Cezar sam sprawdzał i to wielokrotnie. Tłum, widząc Brutusa, zawył. Kiedy Brutus zdjął odzienie, tłum zawył powtórnie. Panie z zachwytu. Część panów także z zachwytu. Brutus przystąpił do akcji. Dziesięć dziewic, dwadzieścia, trzydzieści, pięćdziesiąt, osiemdziesiąt, dziewięćdziesiąt. Brutus szedł naprawdę jak burza. Dziewięćdziesiąt jeden, dziewięćdziesiąt dwa, dziewięćdziesiąt pięć. Na jego czole pojawiła się pierwsza kropla potu. Dziewięćdziesiąta szósta dziewica i Brutus zacisnął zęby. I nie tylko zęby. Przy dziewięćdziesiątej siódmej dziewicy Brutus oklapł i rzekł: „Nie mogę jużżż". A tłum zaczął skandować głośno, tak, że Koloseum zatrząsało się od tego krzyku: „BRUTUS PEDAŁ, BRUTUS PEDAŁ, BRUTUS PEDAŁ!!!".

Tak samo jest w korporacji. Możesz dokonywać cudów, możesz brać na klatę coraz więcej, mogą dawać ci zdania niemożliwe do wykonania, które ty rozwalisz w 48 godzin z przerwami na lunch, a prędzej czy później i tak dochodzi do sytuacji, że nie dasz rady. I nieważne, na jak wyjebanym w kosmos zadaniu poległeś i co robiłeś z sukcesem do tej pory. I tak usłyszysz: „Brutus pedał". Więc lepiej się zrelaksuj już dziś, a walkę zostaw tym, którzy chcą umrzeć wcześnie i przekonać, się że tak, w rzeczywistości są do dupy.

Edukacja.

Kopulacja.

Starość.

Śmierć.

Od poniedziałku do piątku budzę się o 6.45. Przed snem prasuję koszulę. Jeśli nie miałem czasu wpaść do pralni, muszę dodatkowo polecieć żelazkiem po spodniach i marynarce.

Rano. Pobudka. Komórka. Kuku-kurwa-ryku. WC. Lodówka. Red bull. Bez cukru.

To istotne, bo te z cukrem są cholernie kaloryczne, a w pracy w automacie nie ma red bulli bez cukru. Trzymam dietę, nie? Później piję jeszcze dwa. Po pewnym czasie zaczynasz się przyzwyczajać. Ba, smakujesz. Taniny. Aromat, głębokość, chrupkość, rześkość, świeżość, balans. Podawać w niskiej temperaturze. Wiem, że to szkodliwe. Kofeina wprowadza w stan nieustannego podkurwienia. Stoisz i wszystko cię wnerwia. Stopa ci lata. Góra. Dół. Góra. Dół. Rozmawiasz z kimś i masz ochotę mu wywalić w ryj. Co tak wolno kumasz, stary? *What the fuck?* Ale generalnie chodzi o to, że po kofeinie jesteś w stanie stać i kontaktować. Bo 6.45 pięć razy w tygodniu wymaga osobowości Terminatora. Śpię sześć godzin na dobę – jeśli mam fart. Zresztą, spanie dłużej niż sześć godzin na dobę jest według lekarzy niezdrowe.

Kiedyś kumpel opowiedział mi dobrą historię. Jego dziadek, gdy był młody, cały czas pracował, wmawiając sobie, że się wyśpi, kiedy będzie stary. Teraz, kiedy jest już stary, też nie może się wyspać, bo go wszystko boli. Chyba czeka mnie coś podobnego.

Po laniu i red bullu idę do kompa. Sprawdzam na liście „Forbesa", czy jestem w gronie najbogatszych na świecie. Jak na razie nie jestem. Na 746 miejscu, czyli ostatnim w kolejce, jest Jerry Zucker, przemysłowiec, lat 56, żonaty, trójka dzieci, majątek" ledwo miliard. Mój wskaźnik współczucia nie drgnął ani o milimetr, więc ubieram się i idę do pracy. Na szczęście nie mam daleko. W nienormalnych warunkach – czyli w Warszawie nocą – jazda zajmuje jakieś siedem minut. W normalnych, czyli Alejami o 7.15 – jakieś pół godziny. Ale okay. Można posłuchać radia.

Więc słucham radia. Powiedzmy, że dawniej, to znaczy za komuny, była to czynność religijna. Słuchałeś i byłeś pod wrażeniem. Był jeden kanał, a będąc bardziej precyzyjnym – jedna audycja. Więc w piątki, a później w soboty (a może na odwrót, nie pamiętam) nagrywałem Niedźwiedzia. Przez radio marki Zodiak. Jak na tamte czasy był to technologiczny nokaut. Mówię o radiu oczywiście. Nie mam już tych nagranych kaset. Gwoli ścisłości, mam już niewiele kaset, jeśli jeszcze ktoś w ogóle kojarzy, co to jest kaseta. Niedźwiedź mnie trochę wkurwiał, bo pakował się z fonią na kawałki tak, że było „la la la" i nagle pan Marek coś tam w połowie piosenki pierdoli. Wtedy nagranie nie było już takie fajne. Był jednak o tyle sprawiedliwy, że mówił wtedy, gdy coś spadało, powiedzmy z czwartego na ósme.

U Niedźwiedzia na początku słuchałem Modern Talking. Dwóch kolesi o opaleniźnie spod solarium. Jeden blondyn, drugi ciemny. Kapelę zrobił Dieter Bohlen, czyli blondyn. Szukał faceta, który przyciągnie małolaty, i znalazł Thomasa Andersa, czyli ciemnego. Strzelił w dychę, bo faceci woleli blondyna, kobiety ciemnego. Anders, mimo że był w związku z niejaką Norą, kurwił się na potęgę, dymając po kątach jakieś groupies. Kobiety mają słabość do takich kolesi. Mimo że publicznie twierdzą, że jest całkowicie inaczej i że nawet szmatą na długim kiju...

Od Ufa dostałem ich plakat. Wyjął go z gazety o nazwie „Zielony Sztandar". Nie pamiętam, co było w gazecie, ale bodaj raz na tydzień, w sobotę, na rozkładówce dawali plakat. I nigdy nie wiedziałeś, co dostaniesz, chyba że zapytałeś kioskarkę, a ona raczyła ci odpowiedzieć. Plakat powiesiłem nad łóżkiem, ale po tygodniu się rozmyśliłem i wywaliłem go do kosza. Na marginesie, w zamierzchłej przeszłości miałem na ścianie plakat New Kids on the Block, ale do tego się nie przyznam nikomu.

Niedźwiedź promował Toto – jego grzech śmiertelny numer 666 – do końca życia wszyscy będą mu to wypominać. Nie lubiłem Toto, wolałem *triple* S. Sandra, Sabrina i Samantha. Sabrina i Samantha wyglądały jak z trzeciej strony „The Sun". Sandra była chyba z tej trójki najładniejsza, ale miała wyraz twarzy jak pies srający na rogu puszczy. Miałem zdjęcia Samanthy z wywalonym cycem. Kręciłem pod nie śmigłem. Okay, nie twierdzę, że miałem dobry gust, ale waliło się przy tych zdjęciach dobrze. Teraz z potrójnego S najlepiej trzyma się Sabrina. Cyc jej nadal sterczy, nie złapała ciała i wygląda jak Mrs. Robinson.

Rozdział 3
Kumple

POKOLENIE IKEA – ludzie, których stać na kupno mieszkania na kredyt, ale już nie stać na jego urządzenie. Pokolenie Ikea zamiast na łóżku sypia na materacu rzuconym na podłogę, zamiast szafy używa papierowych kartonów, a za kuchnię starcza mu elektryczny czajnik i zestaw chińskich zupek błyskawicznych. Cechy charakterystyczne: papierowa lampa kula z Ikea za 25 zł oraz zestaw regałów Billy po 99 zł sztuka. Pokolenie Ikea to zazwyczaj mieszkający w dużych miastach element napływowy z małych miasteczek. Większość czasu spędza w pracy. Więzi międzyludzkie utrzymuje za pomocą komputera. Jego marzenia to stały i niczym nieograniczony dostęp do internetu. W sieci spotyka swoich partnerów seksualnych, w sieci się z nimi kłóci i przez sieć ich rzuca.

– Dzień dobry, nazywam się Paweł Wilczek, jestem agentem Joanny Wannienka. Dzwonię z nietypową propozycją. Pani Joanna chciałaby się z panem spotkać w cztery oczy. Wie pan, jakaś dobra knajpa, sushi, trochę macanek pod stołem. Co pan na to? Nie wykąpałby się pan w tej wanience?

– Nie teraz, stary. Ale niech się dowiaduje. Oki?

Włączyłem laud speakera w telefonie.

– To jak, panie, zrobimy jakiś browar w tygodniu czy nie – zniecierpliwił się Ufo. – Ja tu marznę, wilki, kurwa, dookoła.

– Jakie wilki? – zapytałem ze znużeniem.

– Jak to jakie? Stara z wiedźmami siedzi. Sabat mają. Wino prawie całe mi z chłodziarki wychlały. Barolo Prunotto z 2005 do, kurwa, chipsów!!! 225 zeta za butelkę. To jest koszmar – sapnął.

Ufo ma naprawdę sympatyczną żonę. Tyle że w większości małżeństw po pewnym czasie pojawia się obojętność, później niechęć, a jeszcze później nienawiść. Słowa: „kocham", „tęsknię" albo chociaż „obciągnij, ale wiesz bardziej w lewo", zastępują „zawsze" i „nigdy".

Nigdy nie można na ciebie liczyć.

Nigdy nie wracasz trzeźwy do domu, pijaku.

Później jest „nawet".

Nawet ci już nie staje, żeby mnie przepieprzyć. Zresztą i tak bym ci nie dała.

Bądź mężczyzną choć raz!

W małżeństwie naprawdę często trzeba się czegoś napić.

– Ciekawe, za co mnie dzisiaj opierdoli – stwierdził Ufo ponuro.

– No.

– Wiesz, wolałbym to już mieć za sobą. Człowiek żyje w niesamowitym napięciu. Myśli: dobrze odstawiłem ten garnek? Zmyłem naczynia? Położyłem szampon na miejsce? Niech mnie opierdoli i będzie spokój.

– No.

– Najgorsze to jest, że to takie nieracjonalne. Wszystko jest w porządku, a tu nagle… BAM! BAM! BAM! I za skurwysyna nie wiesz, o co jej chodziło. Nagle się okazuje, że jesteś kutasem miesiąca.

– No.

– Wiesz, co jest najgorsze w tym wszystkim?

– ???

– Że chociażbyś na lewym jajcu stanął, to i tak mnie opierdoli.

– …

– Na ród żeński, odkąd żyję w związku, patrzę zupełnie inaczej.

– Znaczy się jak?

– Na wszystkie laski… Boję się ich. Są nienormalne. Większość to wariatki. A nawet jak mi się jakaś podoba, to sobie myślę: „I tak jest taka sama jak wszystkie". Niezrównoważona psychicznie. Choćby nie wiem jak fajne cycki i dupę miała, to tylko kobieta, dziewczyna, baba. A ich mózgi są bardzo podobne.

Z Ufem znamy się od dzieciństwa. Oglądałem u niego pornosy na dużej przerwie. To zbliża. I piliśmy wino z gąsiora jego ojca, który był dyrektorem izby wytrzeźwień, a teraz jest już na emeryturze.

Przeważnie połykała duma narodowa PRL Teresa Orlowsky. Nawiasem mówiąc, jest w angielskiej Wikipedii. Ściągaliśmy gacie. Kutasy na wierzch. I start. Konkurencja: sprint. Kto szybciej. Tapirowanie szympansa przy jednoczesnym patrzeniu na nabijaną w każdy otwór Orlowsky. Jej spikselizowane cyce zajmowały pół ekranu, więc wyobraźnia musiała mocno pracować. Spuszczaliśmy się strumieniami na biały, puchaty dywan, przywieziony przez matkę Ufa z Zakopanego. Lagiera wcierało się butem. Nie wiem, jak często matka Ufa musiała prać ten dywan, ale wydaje mi się, że często. Ciekawe w każdym razie, czy orientowała się, co prała.

Najszybciej dochodził Zbiru. W szkole w waleniu konia pod rząd był mistrzem olimpijskim. W rekordowym występie spuścił się czternaście razy, co świadczy o triumfie ducha nad materią. Na samym końcu jak trzepał, to już nic nie ciekło. Nie zemdlał, ale jakiś blady był.

Zbiru wkładał sobie też w kutasa igłę. Tak zwaną groszówkę. Miała z 10 centymetrów długości i kilka milimetrów średnicy. Nawet nie mrugał przy tym okiem. Podwyższał w ten sposób swoją pozycję społeczną.

– Cześć, to jest Zbiru, wiesz, ten kolo, o którym ci wspominałem, co wkłada sobie w nasieniowód igły.

– Serio? A możesz pokazać???

– Robi wrażenie, nie?

Zbiru ostatnio w trakcie napadu przybił laskę do podłogi, żeby nie przeszkadzała mu w trakcie krojenia mieszkania. Gwoździami i młotkiem. I tak ponoć szarpała głową, gdy walił nią w podłogę. Sąsiedzi usłyszeli i wezwali policję. W sumie mogliśmy przewidzieć podobny rozwój wypadków.

Ufo pracuje jako dyrektor handlowy w wielkiej firmie sprzedającej browar, której nazwa zaczyna się na „B". Zarabia ze dwanaście klocków na łapę. Plus bonusy. Ma, skubany, talent do tej roboty. Jeździ służbową toyotą avensis. Ma duży plik wizytówek i laptopa z PowerPointem i Excelem. Raz w tygodniu gra w golfa w Rajszewie ze swoim szefem.

Ma dobry kontakt z ludźmi. Rozumie ich. Jak ostatnio go złapały misie z suszarką, siedział z nimi w radiowozie z godzinę. Wysłuchał, co ich boli. Ale mandatu nie dostał.

Myślę, że pozostaje kwestią czasu, kiedy Ufo zacznie obracać jedną ze swoich przedstawicielek handlowych albo hostess. Jeśli rzecz jasna już tego nie robi. W końcu statystyki mówią, że 80 procent mężczyzn zdradza swoje kobiety. Co robisz po seksie? Wstaję, jem śniadanie, biorę prysznic, ubieram się i jadę do domu. Oczywiście nie rzuci Karoliny, tylko przyzna się jej do dupczenia jakiegoś lachona na boku. W ramach ekspiacji i wyrzutów sumienia. A Karolina do końca życia będzie mu robić wyrzuty.

– To co, idziesz na ten browar czy nie?!
– Idę – potwierdziłem. – Co mam nie iść?
– Kiedy? – Ufo zajęczał. – Te piranie mózg mi pożerają. Wyjadają po kawałku. Człowieku, potrzebuję resetu. Jeszcze jedna taka niedziela a zacznę oczami rzygać – poskarżył się. – Wiesz, co one teraz wymyśliły?
– Nie wiem. Ale jak znam życie, to mi powiesz. Nawiasem mówiąc, jest ta czarna Iwona?
– Jest, a co? – Ufo zapytał ostrożnie.
– Nic. Podoba mi się. Dobrze zbudowana jest. Ogniście.
– Ona mężata jest.
– I co tego? Mąż nie ściana nośna, można przesunąć.
– Ja ci tu się zwierzam, a ty jak zwykle o dymaniu!
– Dobra, dobra. Sorry, ziom. Mówiłeś, że siedzą.
– I knują. Pić też piją, gwoli ścisłości. Dwunastoletniego bushmillsa też mi piją, suki. I to jeszcze z colą-kurwa-zero!!!
– Masz rację. Powinny być za to rozstrzelane. Bez, kurwa, prawa do apelacji. A co wymyśliły?
– Mam oprowadzać po mieście jakieś dwie blachary, żeby zobaczyły, czy chcą tutaj studiować. Przez trzy dni. W głosie Ufa wyraźnie słyszałem urażoną ambicję.
– Kto to?
– Młodsze siostry Anki.
– Jakiej Anki?
– Takiej zdziry z pracy od Karoliny. Nie znasz. Nowa przyjaciółka.
– Cycata?
– Wredna i płaska.
– A te młode?
– Za młode. Jedna piętnaście, druga szesnaście.
– No to, panie, poczekasz rok, wychowasz i będziesz miał trójkącik jak malowanie – zakpiłem.

– Z taki gówniarami?

– Musisz wiedzieć, mój drogi, szanowny kolego, że dzisiaj pod tym względem niejedna trzydziestolatka mogłaby się uczyć od piętnastolatki. To jak z komputerami. Młodsi chwytają szybciej…

– Eeeee, pierdzielisz. Ja rozumiem, że laski dojrzewają teraz szybciej, ale piętnastolatka? Jakie życie seksualne może mieć piętnastolatka?!

– I tutaj się mylisz, drogi Watsonie. Kojarzysz Kebaba?

– No?!

– Ma ojca ginekologa. Parę tygodni temu do jego ojca przychodzi taka jedna. Piętnaście lat, białe kozaczki. I mówi: „Jestem w ciąży. Mógłby pan wyskrobać?". Ojciec Kebaba mówi, że nie. Wyjaśnił, że ryzyko za duże, pieniądze za małe.

– Racjonalnie.

– No. Minął tydzień. Blachara przychodzi do niego ponownie. Cała we łzach. Wzięła numer z gazety. Umówiła się z jakąś kobietą. Cena: tysiąc zeta. Stanęła na dworcu kolejowym. Podchodzi kobieta. Bierze pieniądze. Zabiera dziewczynę ze sobą. Zawiązują blacharze oczy, pakują do samochodu…

– Mocne.

– To nie koniec. Jeżdżą po mieście. Godzinę, dwie. W końcu wjeżdżają do garażu. Młoda domyśla się tylko, że prawdopodobnie są w jakimś domu jednorodzinnym. Dostaje zastrzyk. Budzi się po iluś godzinach. Nie wie ilu. Jest w samochodzie. Z opaską na oczach. Wysadzili ją na dworcu. Nie wie, co z nią robili. A w sumie to mogli wszystko. Łącznie z dorobieniem jej uszu Królika Bugsa i przerobieniem na zajączka wielkanocnego. Ale okay. Po kilku dniach dziewczyna robi test ciążowy. I co?

– Nie wiem.

– Nadal jest w ciąży! Ojciec Kebaba pokiwał głową, jak to usłyszał, i mówi do niej: „Właź na helikopter". Patrzy. A wyskrobana jest pięknie. I wyjaśnił małolacie: „Test ciążowy, który pani kupiła po skrobance był przeterminowany. Nie zadziałał. Zdarza się".

– O, kurwa!

– Dobry komentarz. Nadal chcesz mieć córkę?

– Spierdalaj! Jakieś *urban legend* mi zapodajesz i ja mam w to uwierzyć?!

– Na własne uszy od Kebaba słyszałem!

– Akurat ci uwierzę! Jakieś, kurwa, fantasmagorie mi zapodajesz zmieszane z *Teksańską masakrą piłą mechaniczną*. To co, wtorek?

– Co we wtorek?

– Browar we wtorek! Dwudziesta?

– No dobra.

Odłożyłem telefon.

Wyciągnąłem się z powrotem na fotelu. Pod ręką łycha.

Ciepło.

Błogo.

ZENNNNN.

Gdzie ja byłem? Aaaa, cycki Edyty Wolniak. Ciekawe, czy robione, czy naturalne?

Rozdział 4
Klub

SZLAUF – blachara w wieku 13–20 lat. Niezależnie od pory roku nosi spódniczkę kończącą się 6 centymetrów poniżej pępka. Nogi zgrillowane na solarium. Bluzka, również niezależnie od pory roku, kończy się powyżej pępka. W pępku jest kolczyk. Szlauf ma niewielkie i wyeksponowane cycki. Jest umalowana jak Weronika Rosati, co postarza ją 10, a nawet 15 lat. Szlauf zaczepia dobrze ubranych mężczyzn powyżej trzydziestki. Oddaje się za gadżety w rodzaju telefonu komórkowego, kolacje w dobrej restauracji bądź pieniądze. Szlaufa spotkać można w jednym z warszawskich centrów handlowych – Galerii Mokotów, Arkadii, Złotej Teresie – bądź w pewnych stołecznych klubach na C. bądź U.

Podobnież kobietom brakuje męskich mężczyzn dzisiaj. Ten tego odważnych, pewnych siebie, nie potrzebujących wsparcia. Potrafiących się opiekować innymi. Jednym słowem: do reklamy banku i odpowiedzialnych.

Gdzie ich znaleźć? Oczywiście odpowiedź na to pytanie jest jedna: pizza. Z pepperoni i podwójnym serem.

Jestem po trzydziestce.

Jestem prawnikiem.

Zarabiam dużo.

Jeżdżę czarną, sportową hondą. Prawie nową.

Dobrze się ubieram.

Jestem przystojny.

Jestem singlem.

Mam dobrze układającego się w gaciach fiuta, wolną chatę i duże łóżko, w którym umiem zrobić kilka dobrych trików. Powinienem dodać coś jeszcze?

Jestem blondynem i mam sześciopak? Mogę pokazać!

Używam gum durexa ze środkiem plemnikobójczym?

Uśmiecham się do kobiet? Uwierzcie, seks to nie problem.

Siedzimy więc w C., szukając tego seksu. Rozglądamy się bacznie. Gwoli ścisłości to ciemno jest, widzimy niewiele. Każda dupa w skali od jeden do dziesięciu wygląda na siedem a może nawet osiem. Później, jak się wyjdzie na parking, jest czasem rozczarowanie.

Cycki.

Czarne kanapy.

Czerwone kanapy.

Cycki.

Cycki, cycki, cycki. Sens mego życia.

Oczy na ścianach. Usta na ścianach. Neony. Stroboskopy. D&G, osiemnastki, co wyglądają od kapiącego makijażu jak trzydzieści trzy i trzy czwarte. I podstarzałe wersje Eltona Johna, bo popularność w stolicy zdobywa się ostatnio najłatwiej, rozluźniając zwieracze.

– Jestem Micheal, postawić ci drinka?

– Nie, dzięki.

– Może jednak?

– Spierdalaj!

– Oj, oj, lubię, jak jesteś taki brutalny…

Bar.

Pijany DJ. A może naćpany. Nie wiem. Pewnie i to, i to. Coś na spowolnienie, coś na przyspieszenie, coś na więcej śmiałości, coś żeby fiut stanął, jak już fanka wejdzie ci do łóżka. Sporo piguł. Duże wydatki.

Muzyka straszna? Potworna.

Leci Madonna. Słuchałem Madonny, jak byłem młody. Dlaczego muszę jeszcze teraz jej słuchać? W końcu nie jestem już w podstawówce.

Some boys kiss me,
some boys hug me,
I think they're okay.
If they don't give me proper credit.
I just walk away.

Czyli w wolnej interpretacji:

Pokaż kasę, pokaż kasę,
To ci dam się pomacać,
A może i dupy,
Bo pieniądze szczęścia nie dają,
Ale zakupy już tak.

Kiedy zrobiła karierę, musiała stwierdzić z ulgą na wydechu: „To teraz będę robiła laskę tylko wtedy, kiedy będę miała ochotę". Ale co by o Madonnie nie powiedzieć, baba się trzyma. Ma naprawdę niezłego bica. Niejeden kolo ode mnie z kancelarii by się z nią na łapy zamienił. Pięćdziesiąt lat na karku. U nas, jak laska ma pięćdziesiątkę, to ma pięćdziesiąt kilo nadwagi i szykuje się na seans do ojca Ryzyka, a nie pokazuje w body na scenie.

Na numery statystyczne (statystyczne, bo liczą się do statystyki na takiej samej zasadzie, jak ludzie ściągają z sieci filmy po to, aby gromadzić je na dyskach) chodzę ostatnio z Kogutem. Poznaliśmy się kilka lat temu. Przysiadł się sam do czterech blachar i potrzebował skrzydłowego. A ja wytrzymałem jego spojrzenie. Tylko i aż tyle. Mamy podobne zamiłowania. To łączy. Kogut to mój wyjątek od zasady zlokalizowania. Kiedy jesteś w podstawówce, spotykasz ludzi z różnych środowisk. Złodziei, kurwy i bandytów. Żuli, nie żuli. Później to się kończy. Jak idziesz na studia, dookoła wyrastają tony nudziarzy. Kasa, blachy, kasa, znowu kasa i ile będę zarabiał, jak skończę aplikację.

– Mam drogie hobby. Ma cztery koła.

Byt określa, kurwa, zbyt. Pracujesz w kancelarii, to widzisz prawników, ludzi od reklamy i zmęczonych biznesmenów. Pracujesz w piekarni – poznajesz kosmetyczki, fryzjerki i robotników budowlanych. W sumie to nie ma znaczenia, bo wszyscy i tak są nudni i mają te same nałogi. Tylko wydają na nie inne pieniądze. Kogut jest bandyta. Waży 120 kg. Ma metr dziewięćdziesiąt z hakiem, proste długie włosy, które spina w kucyk, i ryj jak Quasimodo, ale podobno taki francuski typ z wielkim nochalem podoba się kobietom.

Gérard Depardieu? Może być Gérard Depardieu.

Więc, Gérard Depardieu wygląda jak Kogut.

Kogut teraz robi w farmacji. Głównie ecstasy, modafinil i hasz, czyli to, co lubi warszawka pracująca w dużych korporacjach. Trochę pożycza pieniądze. Na niski procent – piętnaście miesięcznie. Klienci ustawiają się w kolejce. Ma niższy poziom złych długów niż Provident. Jest żonaty z Moniką, z którą chodził do liceum. W tym liceum z nią zaskoczył, czego efektem był mały Kogut.

Monika jest pielęgniarką. Bardzo ładna plastikowa blondynka z pasemkami. Mam wrażenie, że go kocha. Kiedy robi mu wyrzuty, że wraca późno, Kogut stroszy pióra i odpowiada: „Kochanie, pójdę do normalnej roboty za osiem stów miesięcznie. Będę ci wtedy dawał na bilet ZTM. Chcesz?". Monika nie chce, bo lubi swoje zmieniane co dwa tygodnie tipsy, swojego merca klasy A i prywatne przedszkole, do którego wysłali małego Koguta z ADHD.

Dialogi Koguta to Martin Scorsese, tyle że z Pruszkowa albo Wołomina.

– Spotkałem ostatnio takiego tłuka. Patrzę na ryj. Brzydki jak pizda. Dzioby na gębie. Własną dupę mam ładniejszą. Chce pożyczyć kasę. Pytam się: „Ile, kolego?". On mi na to: „30 k". „Co masz? Zastaw. Gwarant. Dowód, że nie zostanę z gołą pytą w ręce". „Vectrę". „Jaką?" Odpowiada, co w tej vectrze jest i że dwa lata. „No dobra, dawaj kluczyki". Baranieje. „Słucham? Ale. Ja. Myślałem. Że będę jeździł".

– ?????

Kogut ryczy ze śmiechu, aż mu łzy płyną.

Śmiejemy się razem z debilizmu kmiotka i jego braku wiedzy na temat mechanizmów rządzących światem szybkich kredytów dla osób bez zdolności, którym banki mówią: giń, suko.

– A jak mi brykę rozjebiesz? Kto mi wtedy kasę odda? Odstawiamy na parking, kluczyki i dowód rejestracyjny zostawiamy u mnie. Zapłacisz, to dostaniesz z powrotem.

Kiedy Kogut podchodzi do dłużnika, zmienia się w mentora. Zaufanego przyjaciela. Tłumaczy, przekonuje, argumentuje, unosi się honorem, wstaje od stołu, klnie, siada z powrotem.

– Nie pożyczaj, człowieku, tych pieniędzy. Wiesz, ile to jest piętnaście procent miesięcznie od trzydziestu tysięcy? To jest cztery i pół tysiąca złotych. Po co mam cię bić, budzić cię w nocy, nachodzić w domu. Ja odzyskam te pieniądze. Pytanie, czy naprawdę chcesz je pożyczyć?

Obcy, a ma serce.

FILOZOFIA DUŻEGO KOGUTA – Kogut jest naturalistą. Aby osiągnąć szczęście, trzeba spełnić trzy warunki: być imbecylem, egoistą i cieszyć się dobrym zdrowiem. Kogut spełnia wszystkie trzy warunki.

POSIŁEK KOGUTA – Kogut jada tam, gdzie kelnerzy mają u niego długi. Rzecz jasna nie płaci.

URODZINY KOGUTA – pięciu chłopa, dziesięć dupodajek i dziesięć gram gipsu (koka). Fetę Kogut wciera raz na dwa–trzy dni. Jak ma dużo pracy. Każdy bierze takie dopalacze, na jakie go stać.

KOBIETY KOGUTA – zgodnie z filozofią Koguta najlepszy towar do rżnięcia jest po trzydziestym piątym roku i jest mężaty. Biorąc pod uwagę szybkie zbliżanie się do końca terminu przydatności do spożycia, nie ma oporów. Anal, oral. Już potrafi się umalować. W przeciwieństwie do dwudziestolatek. Dobrze wygląda w pasie do pończoch i szpilkach. I zakłada je bez żadnego problemu. Dając dupy, wie, czym ryzykuje. Wreszcie, jest to jeden z nielicznych gatunków kobiet, który wie, że seks jest seks, a miłość – miłość. Młodsze nie potrafią tego odróżnić.

Kogut do swej życiowej filozofii doszedł po przygodzie z jedną dwudziestką. Wynajął kawalerkę, kupił mikrofalę i walił ją (kobietę, nie mikrofalę, rzecz jasna) przez osiem miesięcy. Później laska stwierdziła, że go kocha i chce, żeby odszedł od żony. A jeśli się boi, to ona do niej pójdzie i wszystko wytłumaczy. *Fatal Attraction*.

Więc Kogut jej wytłumaczył. Tak, że laska, jak go widzi na ulicy, ucieka.

– Bo co ja bym bez żony zrobił – pyta. – No, kto mi rzeczy na siłownię wypierze, wyprasuje? Kto posprząta? Tak to budzisz się rano i cała torba przygotowana. Koszulka, skarpetki, spodenki, ręcznik, bidon z odżywkami, tabletki. Wszystko poukładane. Śniadanie zrobione. Tylko dziecko do przedszkola musisz odwieźć.

Czy Kogut jest ograniczony? Nie wiem. W klubie jest inny świat. Gadałem ostatnio z taksiarzem z Ele. Opowiada: wchodzi małolata z takich, co zaczynają bardzo wcześnie, i każe się wieźć na drugi koniec miasta. „Ale wie pan, nie mam kasy. Mogę zrobić laseczkę…”. Rozchyla usta i pokazuje, że faktycznie może i czym może. Taksiarz zblazowany: „Za laseczkę to tylko na centralny”. Chyba się dogadali w końcu. Ona podwyższyła zapłatę, on zredukował swoją.

Większość facetów idzie w sobotę czy inny piątek na imprezę. Szukając sposobu na cellulit i grzybicę pochwy. Gość robi przedziałek, do torby wkłada pięć win albo dwadzieścia piw. A później dziwi się, że mu nie wyszło.

Drogie „Bravo". Jak ty to robisz? Liczy się fi. Okay. Nie tylko fi. Po prostu musisz wiedzieć, czego szukasz. Musisz być stuprocentową pewnością siebie. Jebaną gwiazdą socjogramu. Musisz patrzeć i rozbierać ją wzrokiem jak dziki pierdolony jaskiniowiec. Musi się odbić od twojej pewności siebie jak polska reprezentacja w piłce nożnej od wejścia do ćwierćfinałów mistrzostw Europy. Wtedy wygrasz. Mówisz, że są kobiety, które nigdy nie obciągną na pierwszym spotkaniu? Odpowiadam: są kobiety, które nigdy nie obciągną. Tobie. Innym będą połykać i lizać jaja z miną pełną ekstazy na twarzy. Kobiety chcą się czasem zachowywać jak dziwki. Od czasu do czasu chcą po prostu być dobrze zerżnięte. Większość. Chcą się pierdolić bez opamiętania. Większość.

Tyle że seks to próba władzy. Wchodzisz na ring. Ona patrzy na ciebie, pyta: Jesteś wystarczająco silny? Potrafisz mnie nagiąć? Potrafisz mnie złamać? Potrafisz sprawić, żebym dała ci od tyłu? Dostaniesz to, czego chcesz, jeśli kobieta poczuje, że jest słabsza od ciebie.

Mówisz, zę są kobiety, które nigdy nie zdradzają? To tylko kwestia ryzyka i stopnia fascynacji. Jeśli mają pewność, że nikt się nie dowie, że niczym nie ryzykują, będą zachowywać się jak najstarsza kurwa z Poznańskiej. Będą żebrać, żebyś je tylko wziął. Jak najszybciej. Tu! Teraz! Bez zdejmowania ubrań, na stojąco, pod drzwiami, na stole czy parapecie. Bo ludzie to zwierzęta.

Jakaś feminazistka powie, że jestem naiwny. Że nie rozumiem kobiet. Że gardzę nimi. Boję się emocjonalnego zaangażowania. Albo traktuję jak przedmiot.

Owszem, też traktowałem kobiety jak niewinne kwiatuszki, do momentu, kiedy kilka lat temu nie wylądowałem w Amsterdamie. Wracałem przez Belgię. Korzystając z okazji, chciałem zobaczyć Manneken Pis. Zjeść parę czekoladek. Byłem spalony i zmęczony. Potrzebowałem snu, a mój samochód paliwa i myjni. Polazłem do hotelu, gdzie były wolne miejsca. Był ze dwa razy za drogi jak dla mnie, ale byłem zmęczony i, jak wspomniałem, nigdzie nie było już miejsc. Na śniadaniu między hotelową kawą, hotelową jajecznicą z żółtek a smażonym bekonem poznałem blond doktor z Polski.

Była starsza ode mnie o trzy lata, miała męża i dwuletnie dziecko. Przyjechała na jakieś seminarium, które dziś jest mało istotne. Wyglądała jak Desnuda z obrazów Christiana Gaillarda albo Izzie Stevens z *Grey's Anatomy*. Długie włosy. Zgrabny tyłek. Miała klasę. W sumie wyglądała tak, jak wyglądać mają kobiety, z którymi chcemy się żenić.

Zamiast jednej nocy spędziłem w Brukseli tydzień. Powiedzmy, że zwiedzaliśmy… Tam nie ma co oglądać, ale uczciwie powiem: nie przeszkadzało nam to. Takie słodkie popierdywanie. Ona raz, niby przypadkiem, przechyli się w twoją stronę. Raz oprze się cyckiem na twoim ramieniu. Przeczesze dłonią włosy. Mignie udem. Mówicie sobie historie, które zawsze się opowiada na początku, kiedy nie znasz jej, a ona ciebie.

Dobra, niech będzie. NAPIĘCIE.

Był wieczór. Szliśmy przez Grand Place. Się napalałem, ale kulturalnie. Ju noł – nie za włosy i w krzaki. Subtelna nuta się we mnie obudziła. Zjedliśmy kolację. Małże, ostrygi, krewetki. Napiliśmy się wina. Nie za dobrego, przyznaję, ale nam smakowało. Wracając do hotelu, zerwałem jej z jakiegoś ogródka garść tulipanów. Wręczyłem jako hołd, patrząc w oczy i myśląc z żalem o swoim kutasie, którego dziś wieczór najlepsze, co może spotkać, to obróbka ręczna. Odebraliśmy klucze w recepcji. Rozstaliśmy się przy jej pokoju. Wszedłem do siebie. Ze sterczącym fiutem, ale pełen szacunku. Umyłem jaja. Położyłem tyłek do łóżka, aby porządnie się wyspać.

Wpierw do mnie zadzwoniła. Później, gdy nie odebrałem telefonu, przyszła i zapukała do drzwi. Otworzyłem. Pomogła mi ścielić łóżko, bo myślała, że zaraz w nim wylądujemy.

I co?

I co?

I co?

I ja, frajer, nie zrobiłem tego!

Wypiliśmy jeszcze butelkę wina z hotelowego barku, które było drogie jak cholera i nie było mnie na nie stać. Później musiałem pożyczać kasę od ojca, a bardzo tego nie lubię. Pogadaliśmy o jej mężu i dziecku. O problemach w małżeństwie. Okazałem jej szacunek. Wyszła ode mnie obrażona. Bo szacunek mógłbym jej okazać tylko w jeden sposób. Rzucając ją na łóżko. Podciągając jej sukienkę. W końcu wsadzając jej głęboko, pryskając spermą prosto na jej nagi tyłek. Ona chciała rżnięcia pod prysznicem w różnych pozycjach. Chciała wstać rano z obolałym kroczem i pokrwawionymi ustami. Chciała czuć się jak dziwka. Jak kobieta. I spoglądać na męża z tajemniczym uśmieszkiem na ustach.

Kręcąc niespiesznie łbami, zrobiliśmy przegląd sali. Na prawo trzy Lody, bo takie czasy, że na imprezie muszą być Lody. Blond włosy. Krótkie, obcisłe różowe kiecki. Odrosty. Czekały na business class: lat 50, w drogim garniturze, ze służbowym pokojem w InterConti. Nawet niezłe, ale za drogie, bo noc w Conti w weekend kosztuje 200 euro.

Przy barze cztery studentki. Piwo z sokiem w ręku. Spojrzenia w tył, w przód i na boki. Stosunek jeden do trzech. Jedna bardzo brzydka, jedna przeciętna, jedna szara mysz. W towarzystwie rządziła ładna, puchata i nadęta blondi, która wie, że jest ładna, bo inaczej nie wzięłaby ze sobą trzech brzydkich koleżanek. W pojedynku skromność przegrywa dziesięć do zera.

Ona nie patrzy. Ona daje się adorować, przekonana o swojej wielkości i dobrze zrobionych tipsach. Kiedyś rżnąłem takie głupie cipy. Teraz nie chce mi się mścić za facetów. Robicie to nieźle sami, chłopaki.

Kręcę łbem jak papuga, mało co mi się ograniczniki nie urwą. Analiza ekonomiczna sensowności inwestycji. Jak u chłopaków z Ernsta bądź Deloitte'a.

Kiecki.

Solar.

Światła.

Ruch.

Taniec.

Kanapy.

Pedalskie drinki z parasolką.

Piję.

Tak umierają ci, którym wydaje się, że żyją?

Przy kiblu też siedziały dwie. Trochę młodo wyglądały. Ale zawsze to lepiej niż gdyby miały wyglądać staro. Jedna szczupła, o gładkich czarnych włosach i w krótkiej czarnej sukience. Ładna. Na oko dwudziestoletnia. I ze sporym cyckiem, co rzadkie w tym wieku. To, z nikłym wstydem przyznaję, zwróciło moją uwagę. Co prawda, niewykluczone, że biust już silikonowy. Ale cóż, świat poszedł naprzód.

Druga blondyna w różowej, bardzo krótkiej wiązanej na szyi kiecce pokazywała spod tej kiecki kawałek uda. Bardzo ładnego uda.

Kiwnąłem głową do Koguta.

Obejrzał się. Mało dyskretnie. Obciął panny spojrzeniem. One jego. Remis. Zaczynamy od środka boiska.

– Szlaufy – ocenił.

My name is Luka,
Luka – droga suka.
I live on the second floor,
I live upstairs from you.
Yes, I think you've seen me before.

– Pierdolisz.

Przełknąłem ślinę. Panny znów obcięły mnie wzrokiem. Kogut się nastroszył.

– Szlaufy!

– Jest okay. Mówię ci!

– Polański też tak mówił – zauważył markotnie Kogut.

– Chcesz dzisiaj dmuchać?

– …

– To więcej wsparcia. Wiem, nie twoja średnia wiekowa. Dla ciebie kobieta zaczyna się po klimakterium. Szanuję to. W pewien sposób.

Nadal nic.

– Burak. Ciota – podjudziłem. – Stary, nie wiedziałem, że ci już nie staje. Wiesz, są pigułki na te rzeczy. Jack Nicholson co prawda viagrę bierze, jak ma stukać więcej niż jedną laskę. Ale wiem, sterydy niszczą organizm. Jaja się kurczą… Włosy na dupie wypadają…

Kogut mimo steku bełtów pod jego adresem pozostał niewzruszony.

– Tych dwóch chujków pod barem zaraz nam je zgarnie. A dzisiaj bryndza jest – uderzyłem w ostateczny argument: konkurencję. Prawa popytu i podaży. Dzisiaj popyt był. A tego kolesia od podaży nie.

Pod barem faktycznie stało dwóch metroseksualnych z wydepilowanymi włosami na klatach, żywcem wyjętych z jakiejś agencji reklamowej. Lat 38–40. Jeden garnitur od Kenzo, różowa koszula, czarny gangsterski kapelusz. Brakowało mu jeszcze złotej kety na klacie. Drugi miał skórzaną marynarkę, niebieskie dżinsy, czarną koszulę, brylantynę we włosach, fluid i tyle pudru na twarzy, co czterdziestoletnia profesjonalistka z agencji towarzyskiej. Pewnie żonaci. A żony, rzecz jasna, wyjechały z miasta. A poza tym byli nieszczęśliwi w związkach.

– Dobra – szczęknął zrezygnowany Kogut. – To ty będziesz żałował, przecież nie ja.

– I nie będziesz jęczał?

– Nie będę – obiecał Kogut i westchnął ciężko niczym cwel pod prysznicem w Sztumie.

– Dobra, to idę.

I polazłem.

Czasem ktoś się mnie pyta: Jak możesz podjeść do całkowicie obcej kobiety i zacząć z nią gadać? Nie masz oporów? Nie boisz się?

Odpowiedź brzmi: „Spierdalaj" (spierdalaj, to odpowiedź dobra na wszystko).

A czego mam się bać? Co mi zrobi? To nie konkurs na intelekt. Nie robisz doktoratu. Nie bronisz habilitacji. Nie rozmawiasz z Umbertem o semiologii. Po prostu mówisz. Czym głupiej, tym lepiej. Słuchasz głupich odpowiedzi. Jak masz na imię? Jak się bawicie? Co robisz? Sprzedajesz buty? Co powiesz o tych? Zatańczysz ze mną? Niesamowicie się ruszasz. Masz świetne ciało. Fajne nogi. Naprawdę piękna kobieta z ciebie. Powinnaś być modelką, wiesz? Wiesz, znam kilka osób. Mój kumpel jest fotografem, który robi modę.

Tańczysz. Upijasz. Jak z trudem trzyma się na nogach, pakujesz w samochód i wieziesz na chatę. One ci nie wierzą. Ty nie wierzysz im. Obie strony wiedzą, jakie są reguły tej gry.

Ach, te subtelne różnice miedzy płciami. Czy pchnąłeś jakąś dupę tylko dlatego, że była bogata? A uwierzcie, wiele razy miałem seks tylko dlatego, że one myślały, że jestem bogaty.

Podszedłem do lasek. Spojrzały na mnie badawczo. Pamiętacie scenę z *Vabanku*, kiedy Henryk Kwinto idzie więziennym korytarzem z bambetlami w rękach i w pewnym momencie spada mu miska? Zastanawia się ułamek sekundy, podrzuca stopą miskę z powrotem na bambetle i idzie dalej. To od razu ustawia sposób, w jaki widzi świat. I sposób, w jaki świat widzi Kwinto. Bo Kwinto to duży cwaniak, który da sobie radę.

Klapnąłem obok na kanapie.

Cisza. Udają niedostępne. Koteczki.

– Elo. Słuchajcie, mój kumpel ma dylemat. Pomożecie mi go rozwiązać? To zajmie minutę. Bardzo szybko, on tam siedzi, a ja zastawiam się, jak mu pomóc.

Jaki to dylemat może mieć Kogut???

– Jego żona go zdradza – wypaliłem. – Dziś się dowiedział. Wrócił wcześniej z pracy i zobaczył, że borsuczy się z jakimś kolesiem. I to trwa od roku. Nie wie, co ma robić. Zostawić ją czy może starać się jakoś to załatwić? Zajebisty dylemat. Małżeństwo od sześciu lat. Jest załamany – pokazałem w kierunku Koguta, który na widok obu lasek wykrzywił się, jakby mu ktoś jaja w imadle ścisnął i poruszył ustami mówiąc: SZLAUFY.

Pokazałem mu fucka. Dyskretnie.

– I co byście zrobiły na jego miejscu?

– Nie wiem, naprawdę nie wiem – zafrasowała się czarna. – A on ją ciągle kocha?

– Tak. Ale teraz czuje się zraniony. Wiesz, na zasadzie, że dostał coś, na co nie zasłużył. Przez te sześć lat był jej cały czas wierny. Nie spał z żadną inną kobietą, tylko ze swoją żoną. Dookoła pełno świetnych lasek, a on cały czas był wobec nich na nie. Dziś jest po raz pierwszy w klubie. Nie wie, co ma robić.

– Niech ją rzuci – stwierdziła obojętnie blondyna. – Jeśli raz go zdradziła, zaraz zdradzi po raz kolejny. Na pewno ma jeszcze jakiegoś kolesia. A potem będzie jeszcze jeden i jeszcze jeden, i nigdy się z tego nie wygrzebie. Co jakiś czas będzie przychodził do domu i znajdował cudze gacie w pralce. Niech skończy to teraz i będzie miał z głowy. Z tego już nic nie będzie. Ja tam wiem po sobie, jak zaczynam zdradzać faceta, to już później walę go cały czas. Kłamię, że wszystko jest w porządku, ale go i tak walę…

– A ty, co o tym myślisz? – spojrzałem na czarną.

Założyłem nogę na nogę i odchyliłem się do tyłu. Ukradkiem sprawdziłem, czy mi się kąt nachylenia zgadza (nie może być za bardzo pochylony do przodu, bo to pokazuje niepewność) i czy nogawki spodni zakrywają skarpetki.

– Ja bym chyba dała szansę – powiedziała czarna, ociągając się. – Małżeństwo to poważna rzecz – dodała.

– Ciekawa teoria – czas zmienić temat. – A tak w ogóle to jak długo się znacie?

– Z osiem lat – blondyna spojrzała na czarną i zaczęła chichotać.

– Wiedziałem od razu.

– Skąd?

– Jest taki test, który od razu pokazuje, czy jesteście dobrymi przyjaciółkami.

– Taaak? – były podekscytowane jak żbiki. Kobiety kochają testy. I horoskopy.

– To jak masz na imię? – pytam blondynę.
– Judyta.
– Serio? – spojrzałem jej prosto w oczy. – Judyta, jak ta z...
– Z czego? – zdziwiła się.
– W sumie to nieważne – machnąłem ręką. – A ty?
– Kaśka.
– Dobra, pytanie: czy używacie tego samego szamponu?
Laski spojrzały na siebie. Obie otworzyły usta, jakby chciały coś powiedzieć.
– Stop. Koniec testu. Zdałyście.
– Dlaczego?!
– Spojrzałyście na siebie przed odpowiedzią. Ludzie, którzy mają ze sobą silny związek, patrzą w takiej sytuacji na siebie.
Czarna z blondyną zarechotały.
– Widzicie? Nie musicie do siebie nic mówić. Komunikujecie się telepatycznie.
– Dobra, dziewczyny, muszę spadać.
Niedbałym gestem podniosłem się z krzesła.
Teraz powinny mnie poprosić, abym został. W sensie, wspólnie. I zgodnie z teorią. I praktyką też.
Pięć, cztery, trzy...
– Znasz jeszcze jakieś testy? – zapytała blondyna.
Uśmiechnąłem się z satysfakcją.
– Znam. Ale nie mam za specjalnie czasu. Muszę pocieszać tego jełopa.
– To pójdziemy razem z Tobą – odezwała się czarna. – Jesteśmy dobre w pocieszaniu.
Chyba była łatwiejsza.
– Kaśka, no co ty? – blondyna się zdziwiła.
– Spoko, Judy. A widzisz tutaj kogoś fajniejszego?

– Tych dwóch przy barze jest fajnych. Jeden ma ładny garnitur. Kenzo – pociągnęła z uznaniem nosem.

– Chodź, chodź – pociągnęła ją za rękę.

W sumie fakt, co mają lepszego do roboty? Pokręcą się trochę po parkiecie. Pogadają z kolesiami. Narąbią się. Na nasz koszt. Zjedzą kebaba w drodze do domu. Jak dobrze pójdzie, narzygają przed klatką. A w poniedziałek będą wspominać w pracy, na jakiej zajebistej imprezie były.

Szorujemy do stolika, gdzie siedzi Kogut. Jest nadal na kwasie, ale trzyma fason. Kopię go pod stołem w kostkę.

– Co chcecie do picia? Jakiegoś drinka? Coś z sokiem pomarańczowym? Okay. Ja idę, przyniosę. Kogut, ty zabawiaj panie.

Poszedłem do baru. Zamówiłem dwa campari, prosząc barmana, aby wlał do nich podwójną wyborową. I dyskretnie z drugiego telefonu zadzwoniłem na aparat, który miałem na stoliku. Puściłem pięć sygnałów. Nikt nie odebrał, bo i nie mógł. Puściłem kolejne pięć, wziąłem drinki i wróciłem do stolika.

Kogut rozwijał na blondynie swój urok osobisty. Szło mu nieźle. Gdyby potrafiła zamknąć usta, wyglądałaby nieco lepiej.

Postawiłem przyspieszacze na stoliku.

– Judyta?

– Ja jestem Kaśka. Judyta rozmawia z twoim kolegą.

(Judyta prawo, Katarzyna lewo, zapamiętaj: Katarzyna, tępaku, przyda ci się, jak będziesz się rano budził).

– Ktoś do ciebie dzwonił – powiedziała bruneta

– Kto? – zapytałem z głupia frant.

– Wyświetlał się Mazowiecki – powiedziała to głosem pełnym podziwu. – Znasz Mazowieckiego?

Zlałem ją i wziąłem telefon do ręki.

– Aaaa faktycznie, Kubuś dzwonił. Lepiej się jednak do niego nie będę odzywał. Ma jedną zasadniczą wadę. Puka wszystko dookoła. Przyszedłby tu i puknąłby was, i mnie na dodatek. Niewyżyty jest, od kiedy się ze swoją laską rozstał. Ale nieistotne – stwierdziłem, chowając telefon do kieszeni. – Zagramy w grę!

– Jaką?

– To się nazywa *Strawberry fields*. Truskawkowe pole. Jest bardzo popularna w Japonii. Katarzyno, wyobraź sobie, że stoisz przed polem pełnym truskawek. Są soczyste i słodkie. Na tym polu jest brama. Jak wysoka jest twoim zdaniem?

– No… jest bardzo wysoka.

– To oznacza, że seks traktujesz bardzo poważnie i długo się zastanawiasz, zanim pójdziesz z kimś do łóżka. Okay, drugie pytanie. Weszłaś przez bramę na pole. Ile truskawek weźmiesz?

– Dwie? Trzy?

– To mówi, ilu partnerów chciałabyś mieć w życiu. Dobra, trzecie pytanie. Zjadłaś truskawki. Co myślisz o farmerze, któremu je rąbnęłaś?

– Nooo… trochę go szkoda, nie? Jeden weźmie trzy truskawki, inny łubiankę i kolo jest do tyłu na grubszą kaskę.

– A to pokazuje, co czujesz do osoby po seksie. Reasumując, jesteś raczej kobietą, która rzadko idzie do łóżka z mężczyzną za pierwszym razem. Szukasz czegoś poważniejszego. Zależy ci też na ludziach, którzy cię otaczają – plotłem trzy po trzy, a bruneta potakiwała głową, bo kto chce uchodzić za łatwą i wredną sukę…

– Ty masz rację – stwierdziła z podziwem. – Bardzo dobrze znasz się na ludziach. Gdzie się tego nauczyłeś?

– Tajemnica. Ale powiem ci o tobie jeszcze coś ciekawego. Tylko teraz pokażę wam wszystkim magiczną sztuczkę. Zamknijcie oczy. No, Kogut, dawaj, ty też.

Złośliwie kopnąłem go w kostkę.

Uciekając przed jego pięścią, pociągnąłem Katarzynę za rękę. I poprowadziłem ją dwie kanapy dalej. Izolacja. Kogut w tym momencie nie był mi już do niczego potrzebny. Usiadłem tuż obok niej.

– Teraz możesz otworzyć oczy, powiedziałem.

Nie odsunęła się. Plus. Uśmiechnęła się do mnie. Drugi plus. Plus i plus to... No właśnie.

– Co robisz, że tak wyglądasz?

– Jak?

– Tak dobrze.

– No... ćwiczę – bąknęła.

– Oooo!

– Wiesz... siłownia... solarium... Te sprawy. Jesteśmy teraz z Judy na diecie 1000 kalorii. Znasz?

– Nie bardzo.

Przełknąłem trzecie tego dnia mojito. Byłem w sumie do przodu o jakieś 400 kalorii. Licząc, że jedno mojito ma 170.

– Na śniadanie nie możesz zjeść więcej niż 200 kalorii, na drugie śniadanie 150 kalorii, na obiad 350 kalorii, na podwieczorek 100 i na kolację nie więcej niż 200 i nie później niż o dziewiętnastej – wyrecytowała laska.

– Śniadanie 200 kalorii?

– No.

– Czyli mogę zjeść bułkę z masłem, szynką i koniec?

– No nie. Bułka ma 220. Co najwyżej możesz zjeść bułkę bez masła i szynki. I kilka plasterków ogórka.

– Zaje... Mam kumpla, który chodzi na siłownię. On, żeby dostarczyć sobie odpowiednią ilość białka, powinien jeść dwadzieścia puszek tuńczyka dziennie.

– Blehhh – zawyła Kaśka. – I je??

– Raz zjadł siedemnaście. Od tej pory przerzucił się na preparaty białkowe.

Okay, czas wykorzystać pierwsze prawo Asimova. Prawo kobiecego uda. Położenie ręki na udzie nieznajomej kobiety może być przez nią odebrane jako gest seksualny, a może również być dla niej całkiem obojętne. Na plaży, gdzie wszyscy są półnadzy, jest obojętne. W klubie, gdzie również wszyscy są półnadzy, jest nieobojętne.

– Słuchaj, a jeśli ja pójdę na dietę 1000 kalorii, też będę miał takie nogi jak ty? – zapytałem i niby od niechcenia położyłem rękę na jej nagim udzie. – Znaczy się takie długie i zgrabne – nawijałem dalej.

Udo faktycznie było w porządku.

– Tylko, kurczę blade, nie wiem, czy mi będą pasować. I czy kumple nie będą mnie klepać po tyłku. Nie wiem, czy dałbym sobie z tym radę – bredziłem jak naprawdę rasowy kretyn.

Podciągam nogawkę i z głupią miną pokazuję swoją owłosioną łydkę. Na szczęście bruneta łykała już każda historię niczym pelikan ryby i zaczęła rechotać. A jej biust zaczął się rytmicznie bujać.

– Katarzyno?

– Tak?

– Masz cudowne usta. Mogłabyś je tylko trochę mniej malować – zauważyłem.

Katarzyna nerwowo polizała wargi.

– Mówisz?

– No. Teraz wyglądasz naprawdę nieźle, ale sugeruję ci trochę mniej koloru na ustach, a trochę więcej błyszczyka. Będziesz wtedy wyglądać jak Angelina.

– Skąd ty taki mądry jesteś?

Właśnie, skąd?

– Wiesz, mam kilku kumpli fotografów. Robią klaty do kobiecych magazynów. Znam też jednego operatora, który robi przy teledyskach. Czasami chodzę z nimi na plan popatrzeć. Uczy się człowiek. Mimochodem. Nawet jakby nie chciał.

(W rzeczywistości moje doświadczenia fotograficzne sprowadzają się do posiadania w szufladzie lustrzanki Nikona, a filmowe – cyfrowej kamery stojącej przy łóżku, ale prawda nie jest w tym przypadku zbyt atrakcyjna).

– Ooo! Przy jakich teledyskach?

– Różnych. Metal, pop, techno. Jak leci. Kręcił ostatnio XXX.

(XXX jest znany w stolicy z piskliwego głosu i wciągania koksu nosem niczym pelikan).

– XXX jest taaaaki przystojny – westchnęła Kasia. – A Ty? Co robisz? – zainteresowała się.

– Jestem przystojniejszy od XXX.

– Może... trochę... – Kasia zatrzepotała rzęsami i przeczesała rękami włosy. Prawie się wzruszyłem.

– Dbam o siebie.

– Co robisz?

– Wiesz, siłownia te sprawy. Dieta tysiąc kalorii.

Hi-hi-hi, ha-ha-ha.

– Znaczy się, gdzie pracujesz?

– Wstyd mówić.

– No?

Możecie nie uwierzyć, ale zawsze mi głupio się do tego przyznać. Kiedy ktoś pyta o zawód, jestem normalnie zażenowany. Nie widzę w byciu prawnikiem niczego specjalnego. Pierwszego dnia zajęć na prawie, kiedy staliśmy jak *freshman year* na amerykańskim uniwersytecie, wyszedł wykładowca, który już nie żyje, i powiedział: „Witam tych, którzy nie wiedzą, co ze sobą zrobić". Dostał oklaski, bo uchwycił moment.

– Jestem… – przełknąłem ślinę – …prawnikiem – dokończyłem.

– Nie wyglądasz na prawnika. – Kasia zmarszczyła czoło, co w jej przypadku znaczyło chyba, że myśli.

– Wiem, mam za mało wredny wyraz twarzy. Ale pracuję nad tym. A jak twoim zdaniem wygląda prawnik?

Zastanowiła się moment.

– Jest gruby. I łysy. I jeździ dobrym samochodem.

– To nie ja. Ja jestem szczupły i umięśniony. Pokażę ci. Dotknij.

Napiąłem biceps.

– Jesteś taaaaaki zabawny.

TAAAAAAKI ZAAAABAWNY.

– Mam też inne zalety – zauważyłem lotnie.

– Jakie?

– Wiesz, w liceum miałem kumpla. Miał niesamowicie wielkiego ptaka. 24 cm w zwodzie. Jego dziewczyna trzy lata się łamała, żeby wziąć mu go do ust. Dziwisz się jej? Taaaaki bydlak. Pamiętasz butelki na mleko? Takie szklane?

– No.

– Miał właśnie taką średnicę.

– WIELKI – Katarzyna nie wyglądała jednak na specjalnie przerażoną. Fiutem kobiety nie nastraszysz.

– I strasznie krzywy. Mierzył go dwa razy dziennie.

– A gdzie te twoje zalety?

– Mam mniejszego. Ale… niewiele.

Spojrzałem jej prosto w oczy. Kasia znowu przeczesała włosy. Usta zrobiła w ciup.

– Się ma, się chwali – odpowiedziała zadziwiająco roztropnie.

– A ty z czego żyjesz?

– Jestem fryzjerką. Pracuję w Jean Louis David w Blue City. Ale chcę być modelką. Chodzę na castingi. Pozowałam już nawet kilku fotografom.

– Nago? – po raz kolejny spojrzałem badawczo na jej cycki.

– Nieeee… No… może troszeczkę. Raz miałam zdjęcia topless.

„Szczęściarz", pomyślałem o fotografie.

– Na pewno byłaś świetna. Napijesz się jeszcze?

– No nie wiem.

– Ale ja wiem.

Na lekko ugiętych nogach powędrowałem więc w kierunku baru. Znacie ten stan. Niby jeszcze wszystko okay, ale rzeczywistość odbiera się już innymi kanałami. Miękniesz. Muzyka, która godzinę temu zadawała się chujowa, teraz już przeszkadza jakby mniej. W kobietach, które jeszcze godzinę temu wydawały się pasztetami, nagle odkrywasz atrakcyjne elementy.

Pani z czterdziestokilogramową nadwagą posiada apetyczne cycki. Pani po czterdziestce – ma po trzydziestce. Nawet na Lody patrzysz przychylniej. A one patrzą przychylniej na ciebie. Nogi są miękkie, ruchy kocie, uśmiech na ryju głupi.

– Jeszcze dwa takie same.

Barman nalewa. Gapię się prosto w światła. Co ja tu robię? A tak, piję.

Patrzę w lewo, patrzę w prawo, w końcu widzę faceta w marynarskiej bluzie w paski, który szczerzy do mnie zęby. Na łbie coś à la irokez, na gębie pucułowaty. Jełop, ale w sumie wygląda sympatycznie. Skąd ja go znam?

– Poznaliśmy się w Utopii dwa tygodnie temu. Byłeś wtedy z taką blondynką. Dałeś mi swoją wizytówkę – wyjaśnił bez pytania.

Że co, kurwa?

Kolo dojrzał moją zaskoczoną minę.

– No dobra, nie dałeś, zostawiłeś tej lasce, a ona zgubiła przy stoliku. Zresztą później było zabawnie, bo zrzygała się na takiego jednego kolesia, a później jeszcze na podłogę. A później to ją już ochroniarze na dwór wyprowadzili, więc nie wiem, co się z nią działo dalej, ale wziąłem sobie wizytówkę, bo stwierdziłem, że jesteś całkiem niezły i bardzo ładnie zbudowany…

To przynajmniej tłumaczy, czemu nie zadzwoniła…

– Sorry, ziom, nie ten adres – klepnąłem go przyjacielsko w ramię i zacząłem zwijać się od baru.

– Oj tam, nie bądź taki agresywny. Co powiesz na jakąś kolację na mieście? Spotkamy się, zjemy parę dobrych rzeczy, wysłucham opowieści o twoich problemach z kobietami i utajonym homoseksualizmie. Nie musimy iść do łóżka… od razu. Wiesz, jak chłopaki będą mi zazdrościć takiej znajomości? Masz takie ładne mięśnie…

Ciotek, przepraszam – gej – zarysował palcem w powietrzu kształty, które miały przypominać moje ramiona.

– To jak, przystojniaczku? Masz ochotę? Nie musisz mówić „tak", wystarczy, że pokiwasz główką.

– Spierdalaj!

Wracam do stolika, trzymając drinki w łapie. Koleś jeszcze krzyknął w moim kierunku:

– Ona ci tak laski nie zrobi!!! I pamiętaj, mam twój numer telefonu! Odezwę się jeszcze.

Chciałem odpowiedzieć: chuj ci w dupę, ale się powstrzymałem. W ostatniej chwili.

Drinki postawiłem na stoliku.

– Widziałaś, co mi się przytrafiło – sapnąłem.

– Co?

– Widzisz tego gościa?

– Którego?

– Tego w tej durnej marynarskiej bluzie. Co wygląda jak jełop. No tego, z tym irokezem na łbie.

– No widzę, i co?

– Rwał mnie, skubany – stwierdziłem z oburzeniem.

– Ciebie?

– Mnie!

– He, he, he.

– Śmiej się, śmiej.

– Hi, hi, hi. O Jezus Maria, zaraz pęknę. Mamusiu!

– Taaaa…

– I co, udało mu się? Normalnie się spłakałam – laska wytarła sobie twarz serwetką ze stolika.

– Gdyby mu się udało, nie siedziałbym z tobą, koteczku, tylko dawał się obmacywać po tyłku temu marynarzowi. A gwoli ścisłości, obiecywał mi całkiem niezłego loda. Lepszego, niż ty jesteś w stanie wykonać.

– Są tacy, którzy od dziewcząt wolą owce – odpowiedziała zadziwiająco rezolutnie. – A ty?

– To zależy, która się lepiej rusza. Przy czym my byliśmy? Aaa, i jak ci się pracuje jako fryzjerka? – zmieniłem temat.

– Fajnie jest.

– Masz jakieś ładne koleżanki? Pytam, może by się udało zrobić jakiś trójkącik?

– Głupi jesteś – zaśmiała się perliście.

– Ja wcale nie żartowałem.

– Ładnych nie mam. Ja jestem najładniejsza. ZAWSZE. Zapamiętaj to sobie. Ale mam jedna głupią. Chcesz głupią?

– Głupią?

– Głupią. Przychodzi do pracy nieumyta. Zakłada koszulkę na ramiączkach. Pod pachami włochy. I brudno. I tak kręci tymi nożyczkami nad głową klienta i pokazuje te włochy, mówię ci, takie zlepione potem. I śmierdzi. I za nic jej nie przetłumaczysz, żeby coś z tym zrobiła. Próbowałyśmy, a ona nic. Mówię ci... Jak można być tak głupim czasem. I wiesz, ona od razu jak tylko ktoś wejdzie do salonu, to startuje do drzwi, żeby tylko klienta złapać. Chytra na kasę jest, że nie wiem co. Bo ma taki układ z Agnieszką, wiesz, ona na recepcji pracuje, że ją na największą liczbę klientów zapisuje. Bo ona, wiesz, dom buduje i chce wyciągnąć jak najwięcej. No mówię ci, po prostu paranoja. Ona z sześć tysięcy zarabia i ciągle jej mało. Same farby bierze. Znaczy się farbowania włosów. Bo farby najdroższe są. I strzyc nie potrafi, wiesz, krzywo. Raz przyszła taka brunetka i chciała pasemka, to powiem ci, coś jej zrobiła, że jej włosy wypadały, i ona, znaczy się ta klientka, nie chciała płacić i nie zapłaciła, ale wstyd normalnie. Nie wiem, co bym zrobiła na jej miejscu...

– Suka.

– No.

Kasia ewidentnie się rozgadała.

Mogłem przejść do fazy mruków i potakiwań. Spojrzałem po raz kolejny niedyskretnie na jej balony. Uspokajały mnie. Były naprawdę niezłe. Moja rozmówczyni była zapewne tego samego zdania, bo kiedy stałem przy barze, rozpięła jeden guzik w swojej koszulce, pozwalając klacie bardziej chwytać powietrze.

– Ostatnio, jak byłam tutaj, wiesz, z Judytą, to później w pracy cały ranek spałam w szafce, bo u nas nie ma miejsca, żeby się gdzieś położyć. Ale akcja była! Przyszła szefowa i pyta, gdzie Kaśka, a wszyscy na to, że w szafce. I ona nie wierzyła, mówię ci. I poszła, otworzyła tę szafkę i widzi, że śpię, to dopiero jej kopara opadła...

– Super. Jesteś bardzo ładna. I masz świetne nogi. Seksowne.

– Mówiłeś. Moja siostra ma też niezłe. Byłam ostatnio u niej na weselu. Ale się źle bawiłam, mówię ci. Co popatrzę na rodzinę pana młodego: weź przestań, SAME BRZYDALE.

– Słucham? Znaczy się, że brzydcy byli, a poza tym spoko – obudziłem się.

– No. Strasznie brzydcy. Moja rodzina wyglądała zajebiście, a tamta... No mówię ci, koszmar. Jaki wstyd mi było. Ojej.

– O, kurwa. To trochę słabe, nie uważasz?

Łyknąłem wódki.

– Dlaczego? Musimy dbać, aby się nam dobre geny nie rozmyły.

– Ile ty masz lat?

– Dziewiętnaście. Skończyłam na Ibizie w zeszłym roku. Byłam tam na wakacjach. A film mi się urwał. I budzę się rano cała goła. No, prześcieradłem tylko byłam przykryta. Obok leży jakiś facet, no, ochroniarz z tej dyskoteki, Niemiec. I ten Niemiec też goły, wiesz. Wielki facet, dwa metry wzrostu, i wygolony na całym ciele. A fiutka miał takiego małego – zaśmiała się perliście. – Wstałam i uciekłam stamtąd. A bałam się, że się obudzi. No, jak nie wiem co. I teraz tylko zastanawiam się, czy z nim spałam, czy nie. Jak sądzisz? Hmm... fajnie całujesz...

– Wiem. Myślę, że spałaś.

– No, weź tę rękę.

Cofnąłem dłoń ze zdziwieniem.

– Wyżej ją weź, idioto!!!

Zgodnie z poleceniem przeniosłem rękę wyżej. A prawą niżej. Samopoczucie mi się poprawiło. Reszta mojego ciała też się miała lepiej. Jeśli chodzi o Katarzynę, to przebadałem większość jej wypukłości. I wklęsłości też. Oderwałem się na moment od jej ust.

– To gdzie kończymy tę rozmowę? U mnie czy u ciebie?
– Eeee… jedźmy do ciebie.
– Rozumiem. W szafce nie ma miejsca. Chodź, pożegnamy się ładnie.
Podeszliśmy, kiwając się delikatnie na boki, do Koguta. Nowo zapoznana koleżanka była do mnie przyklejona dość konkretnie – trzymała swoją rękę w kieszeni moich jeansów. Przedniej kieszeni jeansów, jeśli wiecie, co mam na myśli.
– Kogut, koleżanka chce się zwijać i pobawić enerdowską kolejką. Ja biorę taksę, bo się do ciebie nie zmieścimy. Chyba że do bagażnika. Wy, jak rozumiem, też spadacie?
Kogut spojrzał na swoją pannę. Nie wyrażała specjalnego entuzjazmu do opuszczenia lokalu ani tym bardziej do przespania się z Kogtem, ale specjalnego oporu też nie wykazywała.
Zabraliśmy graty i wsiedliśmy do taksówki.
– Drawska. Skrzyżowanie z Chińskiej Róży.
Cisza. Jedziemy.
– A gdzie mieszkasz?
Panna, owszem, miała niezłe ciało, ale chyba przygłuchła od tych klubów.
– W bloku.
– Ale w jakim?
– Dużym. Z oknami i drzwiami. Z ojcem grabarzem i bratem półanalfabetą, który gra na harmonijce ustnej i tańczy w Mazowszu.
– Nie nabijaj się ze mnie, to nieładnie.
Cisza.
– No powiedz, misiu, no.
Misiu? Jak można do faceta mówić „misiu". Ja rozumiem, drechy mówią do swoich lasek: „świnio". A one im odpowiadają: „misiu". Świnia z Misiem jest okay. Ale do

normalnego uczciwego faceta? Per Misiu? Katarzyna założyła nogę na nogę. Czarna sukienka podjechała jej w górę co najmniej pięć centymetrów. Ja urosłem o kolejne pięć. Taksówkarz też się chłop zainteresował. Na dworze było jak nic na minusie. Szyby w samochodzie parowały, a nieliczne o tej porze jednostki na przystankach dygotały z zimna i puszczały kłęby pary niczym parowóz na trasie Ozorków–Krośniewice.

Warszawa o trzeciej nad ranem jest już pusta. To nie Londyn, Praga, ani nawet Kraków.

Moje miasto.

– Idź do klatki, bo zimno – powiedziałem.

Zakręciła pośladkami, wychodząc z taksy. Razem z kierowcą odprowadziliśmy ją wzrokiem. Koleś patrzył na mnie z autentycznym podziwem.

Tak, ziomek, to ja z nią będę dzisiaj spał, a tobie co najwyżej może gul skoczyć. Możesz sobie zwalić, jak będziesz czekał na zlecenie. Rachunek wyniósł 24 złote. Dałem 30, bo nie samym gulem człek żyje, a jeno napiwkami.

Zimno. Kasia stała przed klatką, uśmiechając się namiętnie. Powiedzmy, że to było namiętnie.

Pierwszą macankę zrobiliśmy przy skrzynce na listy. Drugą w windzie. Doszedłem do drugiej bazy. Trzecią przed drzwiami, z którymi wpadliśmy do środka. Pomigdaliliśmy się jeszcze trochę w przedpokoju, zrzucając reklamę Jamesona ze ściany. Bruneta objęła mnie nogami. Kręgosłup mi zatrzeszczał.

– Muszę do łazienki – wymruczała.

Lubieżnie przeciągnąłem rękami po jej krągłościach.

– Na lewo – pokierowałem.

Z automatu włączyłem muzykę. Smolik śpiewał do kotleta albo do windy. Jak zwykle o miłości bądź jedzeniu lub jedzeniu o miłości. Mdłości.

Poszedłem do salonu. Zapaliłem świece. Jedną zapachową. Przytłumione światło. Sprawdziłem gumy. Miesiąc temu kupiłem na Allegro pięć opakowań jumbo po dwanaście sztuk. Plemnikobójczych. Na wszelki wypadek, bo czytałem niedawno jakieś forum w sieci, gdzie laski doradzały sobie nawzajem, jak złapać faceta na dziecko. Podstawową metodą było przechwycenie gumy. Albo metoda doustna a następnie podanie dopochwowe. Zostały mi jeszcze trzy kartony.

Kasia wyszła z łazienki. Miała zrobiony od nowa makijaż. I delikatnie pomalowane usta. I bluzkę minus kolejny guzik.

– Masz książki w kiblu? – zapytała zdziwiona.

– Mam. Kodeksy.

– I laptopa.

– No – potwierdziłem.

– Po co?

– Żeby nie czytać opakowań od proszku do prania.

(Skrót, z przyczyn technicznych obejmujący migdalenie na kanapie, które już mnie rozczarowało, bo Kasia chciała mnie chyba połknąć w całości).

Przytrzymałem dłoń trochę dłużej na półnagich plecach. Posmerałem ją z dwadzieścia dwa razy po szyi, dotknąłem znowu jej pleców, przeciągnąłem rękami po balonach. Zważyłem je w dłoniach. Siedząc za nią, oparłem ją o siebie. Przygasiłem światło. Zdjąłem jej bluzkę a później stanik. Delikatnie opadały. Przy tej wielkości to normalne, ale za kilka lat dziewoja będzie je musiała chirurgicznie podciągnąć. Faceci nie mają takich problemów. Z drugiej strony, lepsze opadające w garści niż silikon na ekranie.

No cóż, czas na laskę. Technik doprowadzenia kobiety do pozycji nurka głębinowego jest sporo.

Dajmy na to Kogut, preferuje sport siłowy, czyli gwałtowne opuszczenie niewiasty ręką prosto w swoje części intymne. Ewentualnie wrzask: „Ssij, suko!". Zadziwiająco często skuteczny.

Ja wolę mniej brutalną metodę na kosmonautę, co nie znaczy, że metoda Koguta jest mało skuteczna.

Spojrzałem Kasi głęboko w oczy i wycharczałem namiętnie, a przynajmniej na tyle namiętnie, na ile byłem w stanie:

– Wiesz, jakie były pierwsze słowa Neila Armstronga na księżycu?

– A kto to był Neil Armstrong?

– Czego oni was uczą w tych szkołach? – zdziwiłem się. – Astronautą był. Na księżycu lądował. Co na księżycu powiedział? To... No? Dawaj! Mały krok... człowieka, ale olbrzymi... kogo?

– Ludzkości? – spróbowała opornie.

– *Correct*. A wiesz, co dodał jako drugie?

– Nie.

– Powodzenia, panie Gorski. Wiesz dlaczego?

– Nie...

– Kiedy Armstrong był jeszcze małym chłopcem, usłyszał, jak się sąsiedzi od kurew i chujów wyzywają. Wiesz normalna męsko-damska napierdalanka: „ty dziwko", „ty impotencie". I pani Gorski spuentowała panu Gorskiemu: „Obciągnę ci, jak ten chłopiec z sąsiedztwa stanie na księżycu!!!". Jakie są z tego wnioski?

– No?

– Raz: męska solidarność jest naprawdę wielka. Aby jeden facet miał kilka minut przyjemności, drugi udał się kilka tysięcy kilometrów na księżyc.

– A dwa?

– Mężczyźni są w stanie zrobić wiele dla seksu oralnego.

– Ładne.

– To jak, obciągniesz mi? Czy będę musiał polecieć na księżyc?

Uśmiechnąłem się. Słodko i szelmowsko zarazem.

– Uwierz mi, potrafię się odwdzięczyć.

Rozłożyłem swobodnie nogi. Młoda się uśmiechnęła, ale widzę, zmierza w kierunku.

Klęknęła między nogami. Rozpięła mi rozporek i wyjęła Oscara. Poczułem podziw. Znaczy się – JEJ podziw. Wiem, mam fajną laskę. Prostą, długą i grubą. Nie każdy może to o sobie powiedzieć.

Wsadziła fiuta do paszczy. Znaczy się tak – prawo Murphiego: większość pedałów potrafi lepiej zrobić laskę niż większość kobiet. Z prostego powodu: każdy pedał ma laskę i wie, jak ją obsłużyć albo jak obsłużyć swojego kumpla, żeby szorował uszami po suficie.

Kasia, niestety, nie bardzo. Szło jej niesporo. Trochę lizała. Trochę podgryzała, bo przeczytała w „Cosmo", że tak trzeba. Ale rytmu w tym znaleźć nie mogła. Stać mi niby stał. Ale bez sensu.

Pomlaskała pięć minut. Zacząłem oglądać sufit. Narzuta kanapy wplątała mi się niewygodnie w tyłek. Jęknąłem i poprawiłem pozycję. Kasio-Judyta moje westchnięcia wzięła za zachętę. Zdwoiła wysiłki i wgryzła mi prosto się w główkę. Jęknąłem teraz konkretnie. Z bólu. Kasia trzymała mi teraz chuja zębami niczym terrier kość. Łzy napływały mi do oczu strugą. Z grzeczności potrzymałem ją przy źródle jeszcze przez minutę, potem wyjąłem z paszczy, symulując orgazm, i pokłusowałem do łazienki.

Fiut wyglądał na nieco spuchniętego i ewidentnie miał ślady po zębach. Mogłem je spokojnie policzyć. Dwie jedynki, dwie dwójki, trójki widać słabo. Gwoli ścisłości, jak się przyjrzałem, lewa trójka chyba wymaga wizyty u dentysty.

Trzeba to jakoś zdezynfekować. Z tego co widziałem na *28 days later* rany od ludzkich zębów są zabójcze. Niewiele myśląc, wyjąłem z szafki wodę utlenioną. Chyba w małej ilości nie może zaszkodzić, nie? Polałem odrobinę kutasa. A przynajmniej tak mi się wydawało, że odrobinę.

Mniej więcej trzy minuty później, kiedy przestałem wrzeszczeć i kurwić swoją głupotę, a po moim fiucie spłynęło 200 litrów zimnej wody, odważyłem się spojrzeć na niego po raz drugi. Kutas wyglądał naprawdę niecodziennie. Był miejscami czerwony, miejscowo fioletowy i miał jakieś dziwne krwawe wybroczyny.

– O, kurwa! O, KURWA, KURWA, KURWA!

– Wszystko okay?

– Jasne! – odkrzyknąłem. – Po prostu miałem taki orgazm, że jeszcze mnie telepie!

Z sykiem założyłem gacie i poszedłem sprostać sytuacji. Trochę zgięty. I z tyłkiem wystawionym do tyłu. Poszedłem do pokoju jak Kaczor Donald. Kłap, kłap. Kłap.

Laska leżała na kanapie. Biust zwisał jej obiecująco. Usta pędzlowała nieustannie językiem, aby były mokre, a ona wyglądała na seksowną. Usiadłem z brzegu. Ostrożnie. Kasia po raz kolejny wpiła się w moje usta z siłą i wdziękiem Karchera. Widać uważała, że definiuje ją to jako czołową postać z dresiarskiej kamasutry.

Przerwałem te pieszczoty, zajmując się na moment jej cyckami, które, w przeciwieństwie do właścicielki, naprawdę mnie brały i były seksowne z natury. Pomacałem przez moment i faktycznie się odprężyłem. Sięgnąłem po kieliszek.

Kasia niespodziewanie sięgnęła do mojego rozporka.

Odprężenie szlag trafił.

Zerwałem się z kanapy, podciągając spodnie. Wino wylało się na podłogę. Spojrzałem na nią.

– Spoko, nic się nie dzieje, tak?! – powiedziałem i poszedłem do kuchni.

Wziąłem rolkę papierowych ręczników. Wycierając wino z mojej położonej za ciężką kasę mozaiki egzotycznej (olejowanej, kurwa), wyobrażałem sobie, jak spod palców cieknie jej krew. Spod moich palców. Otarłem czoło z potu. Wyprostowałem się z pewnym bólem. Podszedłem do śmietniczki. Wyrzuciłem kłąb ręczników.

Napełniłem jeszcze raz kieliszek. Wychyliłem zawartość. „Okay", pomyślałem. „Rąbnę ją w dziesięć minut i wystawię za drzwi. Raz mogę być nieprzyjemny, nie?".

Dziesięć minut... Niedużo. Jakieś sześćset ruchów biodrami i jestem wolny. Mogę położyć się spać i zrobić sobie okład. W zamrażalniku mam worek lodu.

Odstawiłem stanowczo kieliszek na kuchenny blat. Spojrzałem na Kasię. Zdjąłem koszulkę. Zdjąłem spodnie. Fiut odbił mi się boleśnie od uda. Sześćset posunięć i ani jednego więcej, obiecałem sobie w myślach.

W sumie, jakby ktoś się pytał, to czułem się jak Rembrandt na chałturze u żony kupca. Mało światła, cienie, a ja usiłuję wydusić z pędzla co najlepsze. Wyjąłem gumy. Przedarłem opakowanie, wyjąłem kondoma, opakowaniu dałem swobodnie sfrunąć na podłogę.

Opis naciągania gumy na fiuta pominę. Listę inwektyw pod adresem Kasi, które wygłaszałem w myśli – również. Kiedy przeszedłem kondomem za pierwsze trzy centymetry, w oczach miałem świecące kołki.

Wyszczerzyłem się do laski. Fiut mi stał, ale jakoś niemrawo. Nic to. Nie takie rzeczy myśmy ze szwagrem w 1939... Powoli go wsunąłem.

– Jesteś taki delikatny – wyszeptała, rzekłbym prawie czule.

Jęknąłem potwierdzająco.

Wsuwałem centymetr po centymetrze. Teraz zajęczała Kasia. Wprowadziłem go do końca. Poruszyłem fiutem ostrożnie, badając jak się ma. Fiut, nie Kasia. Kasia zajęczała znów i znów. Więc znowu poruszyłem kutasem i poczułem taki ból, że mi się żal siebie zrobiło. Kasia zajęczała. Ja zajęczałem. Rozpaczliwie.

Jeśli ktoś słuchał tego pod drzwiami, to mu się wydało, że tu odchodzi seks stulecia.

Przyspieszyłem.

I liczę.

Siedemnaście, osiemnaście, dziewiętnaście.

Dwadzieścia trzy, dwadzieścia cztery, dwadzieścia pięć... trzydzieści jeden, trzydzieści dwa, trzydzieści trzy.

– Aaaaa – zawyłem.

– AAAAA – odpowiedziała mi Kasia.

To se pogadaliśmy, nie?

Pięćdziesiąt sześć, pięćdziesiąt siedem, pięćdziesiąt osiem.

Kasia dochodziła, ja odjeżdżałem.

„Zaraz, kurwa, zemdleję", pomyślałem.

Sto jeden, sto dwa, sto trzy.

Dwieście pięć, dwieście sześć, dwieście siedem.

Łapałem powietrze jak maratończyk pięć kilometrów przed metą.

Trzysta jeden, trzysta dwa, trzysta trzy.

„Bądź jak myśliwiec nad Anglią, jak Polscy lotnicy z Dywizjonu 303, jak Tommy Lee Jones w *Ściganym*", sam się motywowałem, ile sił.

Trzysta pięćdziesiąt sześć, trzysta pięćdziesiąt siedem, trzysta pięćdziesiąt osiem.

Koniec, kurwa!!!!!! Nie mogę!!!!!! Mamusiu, ja już będę dobry! Żadnych dup przez miesiąc!

(No, może dwa tygodnie).

Czterysta dwadzieścia, czterysta dwadzieścia jeden, czterysta dwadzieścia dwa.

– Szybciej, szybciej!!! Nikt mnie tak jeszcze nie walił! Szybciej. Dymaj mnie szybciej!!! – Kasia zaczęła szarpać mnie za tyłek nogami. Wywołując potężne bóle. Skręciłem gwałtownie biodrami, usiłując uniknąć pierwszej grupy inwalidzkiej.

– JA CIĘ PIERDOLĘ!!!

– TAK! TAK! TAK!!! – zawyła Kasia.

Pięćset pięćdziesiąt sześć, pięćset pięćdziesiąt siedem, pięćset pięćdziesiąt osiem. Już wiem, co czują pływacy w trakcie wyścigu. Sprint. Ostatnie metry. Kasia szczytuje. Ja, nie zważając na nią, macham dupą, mając przed oczami tylko czerwoną ścianę, która na co dzień jest niebieska.

Ból!!!!!!

I padam spazmatycznie na nią. Kasia jęczy. Zamiast kutasa mam tylko krwawą miazgę. Wychodzę z niej i walę się z pulsującym fiutem na podłogę.

O, kurwa. Kurwa! KURWA! Wiem, że się powtarzam. Ale, KURWA, JAK BOLI... Zwijam się w pozycji embrionalnej. Odpływam.

– To było niezłe.

– Słucham? – wyrzęziłem przez łzy.

– No, to było niezłe – stwierdziła rozmarzonym głosem. – Masz może fajka?

– Nie palę – wykrztusiłem z trudem. – To szkodzi na oddech.

Leżeliśmy przez chwilę w milczeniu. Ja na podłodze. Wstałem, z trudem utrzymując się na nogach.

– Wiesz co, głupia kwestia. Wiem, że byłaś miła, ale chciałbym, żebyś już poszła. Okay?

– No dobra.

Zbierając ciuchy:

– Myślałam, że jesteś milszy.

– Jestem. Ale rano idę do pracy.

Spojrzała na mnie, zapinając stanik. Wciągając brzuch. Odrzucając włosy.

– Daj mi pięć stów.

– ??? Słucham?

– Pięć paczek.

– Co, kurwa?

– Dobrze ci było, nie?

– Gwoli ścisłości, skoro już przy tym jesteśmy, to NIE. Nie było. Kurwa, dlaczego mam ci płacić?

– Bo TAK! Przeleciałeś mnie, nie? Jęczałeś, nie? Zrobiłam ci laskę na pierwszym spotkaniu? Gdzie byś tak miał? To daj pięć stów. Stać cię. Widzę.

– Pojebało cię?! Jeszcze nie upadłem tak nisko, żeby płacić za dupczenie!

– Było fajnie. Nie?

– Nie, kurwa! Wcale nie było fajnie!

– Daj mi pięć stów, co ci zwisa.

– W tym momencie, jeśli przy tym jesteśmy, to akurat niewiele! Zresztą, nie mogę ci dać, nawet jakbym chciał, a nie chcę. Nie mam kasy. Zostały mi dwie dychy.

– To daj mi telefon – zażądała.

– Do reszty cię pojebało. Mojego iPhone'a? Prędzej dostaniesz ode mnie nerkę!

– To nigdzie nie wychodzę!!!

Spojrzałem na laskę. Na twarzy miała wypisaną determinację. Podszedłem do półki, wziąłem składowaną tam latami nokię 3210i. Wróciłem do kanapy. Zgarnąłem jej rzeczy. Zdecydowanym krokiem podszedłem do drzwi wejściowych. Otworzyłem je na oścież i jednym płynnym ruchem wywaliłem ciuchy na korytarz. Lasce włożyłem do ręki nokię.

– Masz telefon. Wypad! Ale już!!!

Wypchnąłem laskę za drzwi. I daję słowo, odetchnąłem z ulgą. Co to za, kurwa, psychopatka??? Na kogo to człowiek może się natknąć i zaprosić do własnego domu. Kogut miał rację. Co za szlaufica!

Jak to miało być? Jajecznica. Boczek. Mascarpone. Ale wpierw okład na jaja. Lód?

W tym momencie usłyszałem potężne ŁUP, ŁUP, ŁUP w drzwi.

– Skurwysynu!!! – Kasia zawyła na korytarzu i kopnęła centralnie w drzwi.

– Co tam?! – zbliżyłem się ostrożnie do korytarza i wyjrzałem przez wizjer.

Zobaczyłem Katarzynę w spódnicy i staniku z pianą na ustach.

– Oddawaj moje majtki, skurwysynu!!!

ŁUP!

Wróciłem do salonu, rozglądając się nerwowo. Jej stringi faktycznie leżały na kanapie. Już miałem otworzyć drzwi, aby je wyrzucić z łopotem, ale coś mnie tknęło i założyłem łańcuch.

Uchyliłem drzwi, wyrzuciłem zgrabnie jej gacie i jednocześnie usłyszałem syk, jaki wydaje odpalany dezodorant.

– Moje oczyyyyy! – zawyłem. – Nie gazem, kurwa!!!

– Dobrze ci, chuju!!! Marny kutasie!!! Miałam dziesiątki lepszych niż ty!!! Setki!!! Palancie!!! Szmaciarzu!!! Gównojadzie!!! Żebyś do końca życia nie mógł nawet konia walić!!! Żeby chuj ci odpadł!!!

Lachon skakał na jednej nodze, usiłując wciągnąć majty, i wymiotował stekiem bluzgów. Leżałem, zwijając się na podłodze.

– Żeby cię najgorsza kurwa adidasem zaraziła!

Podświadomie podziwiałem jej zdolności lingwistyczne.

– Obyś oparszywiał, zasrańcu!

Charcząc, zamknąłem nogą drzwi. Hałas jakby się zmniejszył. Czułem, jak łzawią mi oczy. Łzy płynęły mi strumieniami po ryju. Miałem wrażenie, że zaraz rzygnę.

Nie.

RZYGAM!

Puściłem bełta prosto na lśniącą olejem podłogę. Nie mogąc się powstrzymać, puściłem po raz drugi.

– Chuj ci w dupę, skurwysynu! – zza drzwi dobiegł mnie jeszcze bulgot podkurwionej Katarzyny.

Zwinąłem się jak embrion. Tak było lepiej. Bolały mnie wnętrzności. Bolały mnie oczy, których w dodatku nie wolno mi było trzeć. Wiedziałem, że powinienem je jak najszybciej przemyć, ale nie miałem jeszcze siły, aby przyczołgać się do łazienki.

Zaraz zemdleję.

Hałas ucichł. Furia oddaliła się, widać poszła siać zniszczenie gdzie indziej.

Podciągnąłem się na ręce tak, aby oprzeć się plecami o ścianę. Spojrzałem na swoją zarzyganą koszulę. Pomyślałem o swoim obolałym fiucie i zacząłem się śmiać.

Hmm.

Ciekawe, czy ten środek na oparzenia przyspiesza również gojenie fiuta?

Rozdział 5
Lunch

SMS do Koguta: Co porabiasz?
SMS do mnie: Laseczka zaraz będzie robiona.

Kobieta nie krzyczy. Kobieta motywuje.

DRYF – sytuacja, kiedy mężczyzna koło trzydziestki zaczyna myśleć o swojej przyszłości i tym, co trzeba zrobić, aby mieć własne życie. Dryf składa się z etapów:

Etap pierwszy: Ponieważ nie może rzucić pracy, samochodu ani kumpli, rozstaje się z aktualną kobietą.

Etap drugi: W krótkim czasie poznaje nową kobietę i się z nią żeni, wprowadzając w stan szoku całą okolicę, w tym babcię, dziadka i panią z kiosku Ruchu. Następnie szybko płodzi potomstwo.

Etap trzeci: Piekło pieluch, niezrozumienie w związku, różnice charakterów. Mężczyzna zaczyna szukać okazji na boku w celu podniesienia poziomu adrenaliny.

Etap czwarty: Jeśli nie znajduje szybkiego zluzowania zaworów w pracy i najbliższej okolicy, zwraca się do swojej eks, która totalnie głupieje.

– Dla faceta najlepszym wiekiem na małżeństwo jest 39 i pół.

– Jakiś facet spod Sosnowca strącił chujem odrzutowiec.

– To, jak rozumiem, oznacza, moja droga przyjaciółko Olgo, zdrowy sceptycyzm?

– Możesz tak to sobie tłumaczyć. Czy te 39 i pół oznacza, że chcesz wyglądać jak Karolak i kupisz sobie gitarę? Od razu ci wobec tego powiem, że nie lubię Karolaka.

– Bo?

– Brzydzę się go. Ta jego szpara w zębach też mnie brzydzi, ale generalnie brzydzi mnie całokształt.

– Mnie się podoba. A 39 i pół, bo to jest pierwszy moment, kiedy facet osiąga zen. Stan równowagi pomiędzy swoim penisem i swoim mózgiem. Co prawda za dwa–trzy lata zaczyna się kryzys wieku średniego i znowu zacznie nim rządzić penis, ale ze trzy lata jest spokój. Aha, i czasami wystarczy, że facet sobie kupi nowy samochód i to kryzys załatwia.

– Boże, Czarny, jaki ty głupi jesteś. I to małżeństwo oczywiście z osiemnastką?

– No przecież nie z czterdziestką. Ale bez przesady. Trzeba mieć przynajmniej coś, co was w pewien sposób łączy. Ju noł, jakiś kod kulturowy. Te same piosenki w dzieciństwie albo, nie wiem, dajmy na to, to samo centrum handlowe w okolicy. Powiedzmy, dwadzieścia pięć lat. Nie za młoda, nie za stara – idealny wiek do prokreacji…

– Mam się śmiać czy płakać?

– Świat jest okrutny i zły. Przywyknij.

– Chciałabym ci przypomnieć, że jak ostatnio obracałeś pewną znaną nam dwudziestopięciolatkę, to dzwoniłeś do mnie w środku nocy, że ona chce czwarty raz, i nie wiesz, jak jej uprzejmie powiedzieć „nie".

– Pod tą gruszką szczał Kościuszko.

– Co to znaczy?

– To było dawno i nieprawda.

Jem wielkiego steka z sosem czosnkowym i serem, który miał być gorgonzolą, ale jak na mój gust to to zwykły lazur.

Nie narzekam.

Olga je sałatkę, frytki i popija colą. Wszystko w ramach diety. W swoim mniemaniu się odchudza, przyjmując dziennie pięćdziesiąt łyżek cukru w dwulitrowej coli.

Z dietą jest tak, że jesz to samo co przed dietą, ale masz wyrzuty sumienia. Jak Olga za dużo przytyje, idzie do kibla i rzyga. Albo kupuje pastylki na sranie. W dzisiejszych czasach kobiety są chyba pod presją.

– Ale wielka dupa.

Rozglądam się.

– Tam, patrz – syczy. – Na czwartej, baranie.

Patrzę. Bruneta. Spodnie białe, napięte na tyłku. Pochyla się nad stolikiem. Jak się odchyli bardziej na bok, wyłazi proca od stringów. Ale wygląda to… khem, inspirująco?

– No, dupę ma. Niezłą – przyznałem z pewną satysfakcją. Choć to nie była moja dupa. Ale zawsze miło popatrzeć. A może, jakby się człowiek postarał, to i coś więcej. Podejść? Zapoznać się z właścicielką? Nie podejść? Podejść?

– Przeleciałbyś ją, co? – z zadumy wyrwał mnie głos Olgi.

– No ba. Powiem więcej: mogę ją przelecieć.

Zakąsiłem mięsem. I dalej koncentrowałem się na tyłku w białych spodniach.

– Czterdzieści dwa.

– Ke?

– Rozmiar czterdzieści dwa. Ona ma dużą dupę. Powinna spuścić ze dwa rozmiary. Iść na dietę. Bo niedługo będzie się ubierać w zasłonkę ze stołowego.

– Diety to ściema – skomentowałem. – Co ci mówią dietetycy? Masz jeść mało kalorii, mało cukru, mało tłuszczy, dużo witamin i substancji balastowych. Wiesz, gdzie to wszystko jest?

– Tak? – Olga się zainteresowała.

– W gównie. Zamiast spuszczać klocka co rano, powinnaś go pakować w pudełko i brać ze sobą do pracy. Najbardziej dietetyczny posiłek *ever*.

– Jesteś obrzydliwy!!! Skąd ci się biorą takie historie?

– Okay. *If you say so* – odrzekłem dumnie w tej polsko-angielskiej nowomowie biurowej, w której słowo „przepraszam" dawno zostało zajęte przez „sorry", „spierdalaj" przez „fuck you", „co" przez „what", a „obiad" przez „lunch".

Cisza.

– Ja mam rozmiar trzydzieści cztery.

– Znasz to, albo duża dupa i niezłe cycki, albo dobra dupa i zero cycków.

Olga spiorunowała mnie wzrokiem.

– Ja mam cycki!

– Nie.

– Mam!!!

– Przykro mi – przełknąłem wyjątkowo krwawy kawałek polędwicy, który chyba nawet patelni nie widział.

Arterioskleroza robi rajd na bramkę i zdobywa punkt!

– Nie masz. Ta bruneta, owszem, ma.

– Mam B! To są już całkiem duże cycki!

– Masz coś powyżej A, fakt – przyznałem łaskawie. – Ale nie jest to jeszcze B. Przyjmij to z godnością. Jesteś płaska. Zawsze możesz sobie wstawić silikon. Koszt: sześć kilo. Czekasz na zabieg sześć miesięcy. Znaczy się, kolejka długa jest.

– Spierdalaj!

– Sama pytałaś – wzruszyłem ramionami.

Olga mamrotała wyzwiska, machając nogą w szpili na potwornym obcasie i wydłubując pracowicie szynkę z sałatki. Raz rzuca mi piorunujące spojrzenia, raz zerka na kelnera – wielkiego, mocno owłosionego szatyna o aparycji łopaty. Cisza. Jemy. Trzy minuty spokoju.

– Gdzie ty znajdujesz te dupy?

Olga, jak widać, nie poddaje się – musi prowadzić intelektualną konwersację. Szkoda. Ja pożądam ciszy jak w przedziale pierwszej klasy polskiego intercity.

– W sensie?

– Do rżnięcia. Żadna normalna kobieta przecież nie pójdzie na taki numerek!

Spojrzałem na nią jak na idiotkę, ale nie mówię nic.

– No?

– Ty, siostra Faustyna?

– Powiedz!

– Na internetowym forum dla biuściastych – przyznaję niechętnie.

– Co?

– Forum biuściastych. Grunt to skonkretyzować grupę docelową. Tam masz wszystko w jednym miejscu. Wszystkie panny z dużym cycem doradzają sobie, jak kupować staniki.

– Jaja sobie ze mnie robisz?!

– Nie. W internecie jest wszystko.

Przełknąłem ze smakiem kawałek mięsa, obficie maczając je w maśle. To z dbałości o dobrą arteriosklerozę.

– No i co dalej? Znajdujesz jakąś pannę i co?

– No jak to co? Piszę do niej maila. Pytam, czy nie ma ochoty na małe bzykanko.

Oczy jej się powiększyły.

– I co, mają?

– Jak dołączę swoje zdjęcie, to zazwyczaj tak.

– A jak nie mają?

– To mówię, że piszę wiersze. Tfu! Piszę, że piszę wiersze.

– A piszesz?

Patrząc Oldze głęboko w oczy i nie spuszczając z niej wzroku ani na sekundę, zacząłem recytować:

– „W wypłowiałych fotelach stare kurtyzany,
Zwiędłe, wymalowane, z okiem pełnym cieni,
Mizdrzące się: na szyjach pereł sznur nizany,
W chudych uszach brzęk złota i drogich kamieni..."
(Charles Pierre Baudelaire)

– „Zazdrościłam tym kurwom trupiego wesela,
Podziwiałam tych graczy chciwość wiecznie młodą..." – Olga dokończyła wers.

Gdyby ktoś mnie spytał o zdanie, to z przesadną emfazą. Ale nie pytał.

– Znasz to? – zapytałem ze zdziwieniem.

– Czarny, do jakiego ty liceum chodziłeś? Bo chyba do jakiegoś bardzo słabego. Wymyśliłbyś coś mniej znanego. Polecam ci Berrymana: „Ach gdy postękiwałem, nad nią i wierszami, muzą była nimfetka a moja dziewczyna wśród mężczyzn starszych, z forsą, zawsze adwokaci lub ktoś w tym guście, ja byłem młodszy i zupełnie goły".

– Szacunek – zasalutowałem widelcem. – Dobra jesteś.

– Wiem – prychnęła.

Cisza. Grzebiemy widelcami w talerzach. Olga złamała się pierwsza. Ja strzelałem focha.

– A są takie fora dla facetów?

– W sensie?

– Z dużymi... no wiesz...

– Nie, nie wiem. Aaaa, o kutasy ci chodzi! Pewnie są. W internecie jest wszystko. Raz widziałem stronę, na którą ludzie wysyłali kupy, które robią co rano. Ale nie radzę ci szukać tych z fiutami w sieci.

– Bo?

– Znajdź mi faceta, który przyzna, że ma małego. Na takim forum każdy krzyczy że ma przynajmniej dwadzieścia centymetrów. Żeby się przekonać, jakiego ma, powinnaś się go zapytać, w jakiej grupie szedł po wuefie pod prysznic.

– ???

– Jako pierwsi idą ci, którzy maja największe. To udowodnione matematycznie. Czym kolo ma mniejszego kutasa, tym wolniej idzie do łazienki. Czym szybciej w szatni zdejmuje gacie, tym ma większego. Zostanie ci coś tych frytek?

– Nie?

– Jak dasz mi swoje frytki, zdradzę ci jeszcze jakąś męską pseudotajemnicę.

– Twoje tajemnice nie są warte MOICH frytek. INTERESOWNA ŚWINIO!

Wpakowałem łapę we frytki Olgi. Parsknęła jak wściekła kocica. Niezrażony, żarłem dalej.

– No i?

– Co?

– Tajemnica! Jak już żresz, to gadaj!

– Aaa, okay. Faceci też potrafią dmuchać, mimo że nie mają ochoty.

– Słucham?

– Faceci dmuchają czasem laskę z tak zwanego poczucia obowiązku, żeby jej nie było przykro.

– Nie rozumiem.

– Idziesz na spotkanie z facetem. Bierze cię na kolację do dobrej knajpy. Pierwszy plus. Nie gada o swoich byłych. Drugi plus. Słucha tego, co do niego mówisz – trzeci plus. Ubrał się normalnie, znaczy się ma koszulę, czyste buty i tym podobne. Podwyższę stopień trudności: uprasował ją nawet.

– Łaaaaaał. Ty to wiesz, jak zachęcić kobietę.

– Tak. Pachnie, nie ma wąsów, ma całe skarpetki. Mówi ci, że nieźle wyglądasz. W sumie było dość miło, więc chcesz mu dać.

– I...?

– Idziecie do chaty. On chce się żegnać, ty mu proponujesz, żeby wlazł na górę. On protestuje, mówi, że ma dużo pracy. Ty nalegasz. W końcu wchodzi. Przelatuje cię, jest tak sobie, wychodzi i nigdy nie dzwoni. I to jest twoja wina – wskazałem palcem na Olgę.

– Bo?

– Dałaś mu za szybko. Wcale nie miał ochoty na szybkie bzykanko. Przeleciał cię, żeby ci nie było przykro, bo uznał, że tak wypada i tyle. A w rzeczywistości uznał cię za łatwą.

– Mnie się to nigdy nie przydarzyło – Olga stwierdziła ze stupięćdziesięcioprocentową pewnością w głosie.

– Jasssne...

– Tak samo jak pewne jest, że nigdy nie poszłabym z tobą do łóżka!

– Jasssne... A ten świstak to pamiętasz, za co go posadzili.

– No pewnie, że bym nie poszła!

– Jasssne...

– Musisz się, Czarny, z tym pogodzić. Ty latasz na Krupówki. Ja to Mount Everest.

– Sssssss, żmijoooooo.

– Nie jesteś w stanie mnie wyrwać.

– Jestem.

– Udowodnij!

– A co ja, małpa w cyrku?

– *Chicken. Pussy.*

– Uwaga! Jesteś?

– Jestem.

– Właśnie cię przelatuję.

Olga obejrzała się dookoła bacznie.

– Nie czuję. Tandeciarzu.

Wlepiłem w nią wzrok jak dresiarz w beemę.

– Pamiętasz pakamerę na szczotki obok ksero? Pociągnąłem cię tam za rękę, kiedy przechodziłaś korytarzem w tej obcisłej czarnej kiecce od Prady, którą kupiłaś, jak ten kolo z KPMG cię zdradził.

– Prada – zdrada.

– Zamknąłem nogą drzwi. Przygniotłem cię do ściany, zadzierając tę sukowatą kieckę.

– Znam. Taktyka na dzikusa. Ale tandeta. Nie dam.

– Dasz, dasz. Za pięć lat będziesz żałować niskiego przebiegu. Kobiety tak mają. Wydaje się im, że grawitacja nie istnieje. Okay, teraz jest nieźle. Żadnej zbędnej fałdy. Twardy tyłek, cycki na wierzchu. Najkrótsza dopuszczalna spódniczka. Nieustający wzwód u każdego faceta. Dziewięćdziesiąt procent gości z naszej firmy kręci śmigłem pod prysznicem, wyobrażając sobie ciebie w pozycji na jeźdźca.

– Tylko dziewięćdziesiąt procent?

– Gustaw, Marian i Krzysiek na pewno. Spójrz na to w ten sposób: cały czas czekasz na tego jednego, który cię zbawi, z którym będziesz chciała oglądać Luwr, podziwiać panoramę z wieży Eiffla, pić wino na statku na Sekwanie, który będzie ci kupował kwiaty i traktował cię niczym księżniczkę. A jeśli tak nie będzie? Trzymasz majtki na dupie, czekając, aż zdarzy się lepsza okazja. A inflacja cały czas zżera ci oszczędności!

– Aaaa, teraz na intelektualistę…

– Masz mnie. Emocje zapewnione. I dużo przyjemności. Przynajmniej zostaną ci wspomnienia. Pamiętaj, kobieta czterdziestoletnia to rupieć. Ja po czterdziestce nadal będę pukał góra dwudziestopięciolatki. Później laskom kończy się termin przydatności do spożycia. Człek może się struć. Albo, nie daj Bóg, ożenić. Tfu!

– Nie pójdę z tobą do łóżka.

– Pójdziesz. To tylko kwestia czasu.

– Nie!

– Pójdziesz. I to z dwóch powodów. Raz, bo za energicznie zaprzeczasz. Dwa, kto mi kazał udowadniać, że potrafię cię przelecieć?

– Bujaj się. Szmatą na długim kiju bym cię nie dotknęła. Wychodzisz z założenia, że twoja sperma w kobiecie to jest dla niej najwyższa nagroda?

– Bo to prawda. Oddaję im to, co mam najlepszego. Swoje nasienie. To co, idziemy? Mam z Krzyśkiem umowę do oddania.

– Czarny, ty szowinistyczna świnio. Kobiety to nie są, kurwa, dmuchane lalki do jebania, tylko żywe istoty, które mają emocje, uczucia!

– Jasssne…

Rozdział 6
Żony

AVANTI (mieć w domu AVANTI) – sytuacja w relacjach damsko-męskich. Kobieta robi wyrzuty mężczyźnie, z którym jest w stałym związku, oskarżając go o nieczułość i niechęć do wspólnego spędzania czasu. Popularnie określa się je również jako „strzelanie focha". AVANTI występuje zazwyczaj na minutę przed wyjściem mężczyzny z domu na ważne i wybitnie rozrywkowe spotkanie z kolegami. Czasami łączy się z płaczem, histerią i zespołem napięcia przedmiesiączkowego. Nazwa pochodzi od popularnego miesięcznika shoppingowego dla kobiet.

– *Miś Uszatek* – powiedział Ufo.

I czknął. Piwem. Marki Heineken.

Kiedyś na jednej z pijackich imprez porównywaliśmy piwa do celebrytów. Wyszło nam, że heineken jest jak David Beckham. Metroseksualny, nażelowany, wydepilowany. Nie lubię Beckhama, ale piję heinekena. Dziwne, nie?

– *Bolek i Lolek* – zaripostowałem.

– Te pedały? *Reksio.*

– *Rumcajs.*

– *Wodnik Szuwarek.*

– Brzmi jak tytuł niezłego pornola.

– He, he, to mam lepszy. *Zaczarowany ołówek.*

– *Makowa panienka.*
– Znaczy się naćpana i daje wszystkim dookoła?
– No. *Przygody kota Filemona.*
– *Pszczółka Maja.*
– *Krecik.*
– A o czym to było? – zainteresował się Ufo.
– *Krecika* nie oglądałeś?? Takie czeskie. Animowane. W roli głównej z kretem, co wyglądał, jakby miał cztery włosy na głowie, i bardziej przypominał kreta niż pingwina. Razem z myszką wielkim długim wężem nawilżali ogród. Albo dorwał się do probówki, wrzucił jakiś towar, a z probówki zaczęła wylatywać tęcza. A w końcu ta tęcza zaczęła go gonić. Czujesz, panie, te podteksty?
– Czuję. *Smerfy.*
– To już później, nie liczy się.
– To jebany *Miś Colargol.* To była dopiero ciota.
– Też go nie lubiłem. Jakiś za bardzo edukacyjny i przylizany był. Jakbym Mariana z pracy oglądał. Podaj piwo, dobry człowieku.

Ufo sięgnął po kolejnego sześciopaka, który chłodził się w Wiśle.

W powietrzu coś śmierdziało. Październik, a już zimno było. Zapowiadał się dobry wieczór. Mnie i Ufa zaczynało rozwalać po ósmym. Teraz było piąte. Sporo czasu. Puszki ładnie odkładaliśmy na kupkę na bok. To mój jedyny przejaw dbałości o los tej planety. Nie, nie przejmuję się ociepleniem klimatu. Robię tak od momentu, kiedy zakumplowaliśmy się z jednym żulem, który zbierał metal wzdłuż całej lewej strony Wisły. Chodzić już nie mógł, bo mu lekarz ze względu na kręgosłup odradzał forsowne spacery za puszkami po całym mieście. Cwaniak popierdalał więc na rowerku. Na robienie kariery w puszkach namówił go chrześniak z Ameryki. Dwadzieścia pięć puszek to jeden kilogram. Jeden kilogram blachy to pół dolca. U nas, jak na razie, jakieś 70 groszy. I cena cały czas idzie w górę. Nurek opowiadał, że trzyma tego w domu ze trzydzieści worków. Liczy na podniesienie cen, spekulant. Żona mu się tylko skarży, że trochę śmierdzi.

– Gąska Balbinka.

– Nie widziałem. Za stare. Ale fakt, było coś takiego – przyznałem. – *Gucio i Cezar*. Każda kobieta powinna oddać się facetowi, który obejrzał od początku do końca *Gucia i Cezara*.

– Bo?

– Bo kobiety powinny się oddawać mężczyznom. A poza tym facet, który obejrzał *Gucia i Cezara*, jest wyjątkowo cierpliwym skurczybykiem.

– He, he, słabe. *Jacek i Agatka*. Skąd ci się, Czarny, wzięła taka jazda na lata osiemdziesiąte, hę?

– Mam sentyment do lat osiemdziesiątych.

– Co tam było takiego, czego nie masz dzisiaj?

– Miałem złote relaxy i bandę podwórkową. *Koziołek Matołek*.

– Bandę podwórkową? *Przygody Gapiszona*.

– Bandę podwórkową. *Muminki*. Graliśmy w chowanego. I w kapsle w wyścig pokoju. Wycinałem flagi do kapsli z *Małej encyklopedii* PWN dziadka. Miałem dobrego kumpla Pawła, który miał sześć sióstr. Wszystkie starsze od niego. Jedna była później Miss Mazowsza.

– Przekonujące. A on? *Żwirek i Muchomorek*.

– Paweł, znasz go. *Pankracy*.

– Aaa, ten. Blondyn? Elektronikę studiował w Gliwicach, zdaję się? *Kiwaczek*.

– Nie mówiłem ci? Ojciec go ze studiów zabrał. W ramach zajęć fakultatywnych obciągał wielkiego czarnego kutasa w męskim kiblu. Ojciec kutasa by ponoć darował. Tego, że fiut był czarny, już nie. *Wilk i zając*.

– On jest pedałem?!

– Na prąd i baterie. Tak, owszem, dziś myślę, że te seanse, podobnie jak porównywanie, który ma dłuższego, mogły mieć jakiś podtekst. *Piaskowy dziadek.*

– Bi? *Słoń Dominik.*

– Bi. *Plastuś.*

– Co z nim teraz? *Gąska Balbinka.*

– Wpierw wrócił do P. Zamknął się na rok w domu, podłączając dożylnie do sieci i stron gejowskich. Poszedł do pracy w Tesco. Starsza go prowadzała do proboszcza, żeby się odzwyczaił od bycia homo. *Pat i Mat.*

– O, kurwa! *Pszczółka Maja.*

– Psoko. Widziałem go kilka miechów temu koło Utopii. Chyba się przeprowadził, nie? *Staflik i Spagetka.*

– Dobry jesteś w te klocki. *Pampalini.*

– Pewnie, że tak. *Wilk i zając.*

– Yessssss!!! – zawył Ufo. – Przejebałeś!!! Jam jest zwycięzcą!!! Wszystkie dupy tego miasta moje!!! *Im a king of the world!!!*

– Jasssne. Kurwa!

Łyknęliśmy piwa.

– Co tam u żony?

– Spierdalaj!

– Nadal myśli o dziecku?

– Gupi kutas!

Cisza. Pijemy.

– Tak już totalnie serio, to fajnie, że się wyrwałeś.

– Dzięki. A łatwo nie było, dodajmy. Od tygodnia, panie, haruję na to wyjście. Pot mi po dupie spływa. Musiałem na zakupy iść…

– A co ma jedno z drugim?

– Ale ty gupi jesteś – stwierdził z odrazą Ufo.

– Wielkie mi mecyje. Zakupy.

– W poniedziałek, wtorek, środę i czwartek – dodał Ufo.

– Po chuj?!

– Działanie zapobiegawcze. Żebym się nie rozwydrzył zanadto. Za to, ziom, jakie mamy zapasy w spiżarni! Ale spoko. Wyspałem się w samochodzie. Powiedziałem, że były kolejki. W środę musiałem zamocować dodatkowo wieszak w przedpokoju. To powiedzmy, że to się zbilansowało, bo wieczorem dostałem laseczkę.

– Seks też masz na kartki?

– No ba! Aha, w czwartek jeszcze posprzątałem w garażu i patrz, dziś mam wolne do północy.

– Dobra kobieta. Ma gest.

– To jest, panie, poważny związek. Ucz się. Podziwiaj. Czeka cię jeszcze. Podobna harpia. Chwyci za gardło i przydusi.

– O nie, ja już, panie, w poważnym związku byłem. Raz mi wystarczy.

– Serio???

– Jasne.

– Miłość... sramorki... chodzenie za rączkę... Tego typu klimaty?

– No pewnie.

– Kim ona jest? Chcę poznać tę kobietę!!!

– To musisz do P. pojechać i na pocztę pójść.

– Chodziłeś z listonoszem???

– Tak, kurwa. Bo miał dużą torbę. Z Joanną. Czwarta klasa podstawówki.

– Nic wtedy nie mówiłeś, bydlaku.

– Żebyście ze mnie łacha darli? Poza tym, stary, nie wiesz o mnie takich rzeczy że ho ho! Żebyś wiedział na przykład kogo przeleciałem ostatnio po pijaku...

– Wiem, Sylwię od nas z podstawówki.

– Mówiłem? Muszę mniej pić.

– A Joanna?

– Była trzy lata starsza. Miała długie rude włosy, zielone oczy. I była starsza ode mnie o trzy lata. Wspominałem? Nosiła biały bawełniany stanik.

– Miała cycki dobre. Teraz ci to nie wystarcza.

– Owszem. Twarz też musi mieć okay.

– Panie, kobieta to musi mieć dobry charakter. I co z nią teraz?

– Zaszła w ciążę, jak była w drugiej klasie liceum. Ma chyba trójkę dzieci. Pije trochę za dużo. Nie odpowiada, jak mówię „cześć".

– W sumie brzmi to jak *Niewolnica Isaura*.

– Chyba raczej *Ziemia obiecana*, czyli historia lumpenploretariatu.

– Jak się pocieszyłeś, biedaku?

– Dopiero Elizą. Brałem od niej plakaty z niemieckiego „Bravo" i „Popcornu". Z Jeanem-Claudem van Dammem.

– Ty to się potrafisz urządzić. Ładna chociaż była?

– Nie. Ale miała zadatki na duże cycki i dostęp do nieograniczonej ilości m&m-sów. Rodzina jej przysyłała paczki z Niemiec, więc przychodziłem do niej kilka razy w tygodniu. Wiesz, panie, dezodorant Bac przed lustrem. I w drogę. Zmacałem ją dwa razy. Później przerzuciłem się, co prawda, na jej najlepszą przyjaciółkę, Justynkę, która ze mną grała w badmintona.

– Świnia.

– A co powiesz o Justynce?

– Przekonałeś mnie – przyznał Ufo.

– Justynka nad Elizą miała zasadnicza przewagę, bo jej już urosły duże cycki. Czego trochę się chyba wstydziła. I była blondynką. Nie dała mi, ale z tej pasji do jej cycków nauczyłem się nieźle grać w badmintona.

– A ta co robi teraz?

– Nie wiem. Pewnie robi w marketingu. Ludzie się nie zmieniają.

– Ludzie się zmieniają – zaprotestował Ufo.

– Gdzie tam. Jesteś takim samym głupim, sentymentalnym szczylem, jakim byłeś, kiedy Zbiru w piątej klasie nasrał ci do teczki. A Zbiru jest takim samym pojebanym skurwysynem, jakim był, kiedy kręcił ci loda soprano.

– Oj, przepraszam, przeżycia ze sraniem do teczek ma każdy, kto chodził do normalnej socjalistycznej podstawówki. Mój kumpel z roboty opowiadał, że u niego na lekcji muzyki kolo postawił kloca pod palmą stojącą za ławkami. Nauczycielka muzyki, niejaka Burakowska, przygrywała wówczas akompaniament z *Czarodziejskiego fletu*. I o czym to świadczy?

– Że palma uschła?

Ufo zacharczał i otworzył kciukiem browar.

– Słuchaj, masz wybór. Jedna noc. Którą byś przeleciał Zcichapęk czy Lodę?

Łyknęliśmy browaru. Księżyc świecił, Siekierkowski w oddali też świecił.

– Jedna noc? – upewniłem się.

– Zgadza się.

Nie ukrywajmy, kwestia była trudna i wymagała poważnych przemyśleń. Akurat pod szóste piwo.

– Loda sprawia wrażenie bardziej obytej. Ale z drugiej strony, to sam plastik. Chyba wolałbym Lodę, ale wybrałbym Zcichapęk – odpowiedziałem ostrożnie.

Łyk. Siorbnięcie. Bek.

– Nie daj się zwieść – Ufo wojowniczo zamachał w połowie pełną puszką, mało co nie wylewając zawartości prosto na wyprasowane sztruksy i lśniące buty. – Zcichapęk to deska i to deska sztywna. Szkoda czasu. Pamiętaj: jedna noc!!! Co z tego, że cyc plastikowy? Lepiej pobawić się plastikowym cycem i mieć ładne wspomnienia, niż cyckiem nieplastikowym, który nie gwarantuje niczego. Chociaż szpagat, zdaje się, robi, jakby jeszcze umiała to tak ogólnie wykorzystać… – westchnął rozmarzony.

– Tu masz rację. Ale równie dobrze Loda może być pod tym względem przereklamowana i zajechana.

– No, jest ryzyko, jest. Zgadzam się… – przyznał niechętnie. – Nurtował mnie ten problem. Analizowałem go. Mimo wszystko raczej Loda, nie wątpię, że Zcichapęk jest już doświadczona.

– Ja bym poszedł na całość. Niech będą obie. Niekoniecznie naraz. Jednego dnia Loda, drugiego Zcichapęk. Trzeciego – okład. Z lodu.

– Rechechech, okład z lodu, doooooobre – Ufo zaryczał ze śmiechu.

– Albo obie naraz przez dwa dni, mogłyby jakieś zapasy w makaronie zrobić. Oglądałem ten cały *Dancing with the stars* jednym okiem. I nie podobało mi się to, co ta jedna pizda powiedziała. Pytanie: „Czy wyobrażasz sobie, że mogłabyś tańczyć z kimś innym?". Zcichapęk odpowiada: „Nie, tylko z Łukim". Ona-jest-nienormalna. Znam ten typ. Taki, kurwa, emocjonalny dusiciel. Dusi i dusi, i dusi. Gdzie idziesz? O której wrócisz? Pamiętaj, mamy jechać do mamy! Czemu tyle pijesz? Inni tyle nie piją. Zabaw mnie. Jesteś taki nudny. Nie pójdziesz grać w kosza. Wszystko ja muszę robić. Czy ty mnie jeszcze kochasz? Dlaczego cię jeszcze nie ma? Co ty sobie myślisz? Zmień pas! Stań tutaj! Kiedy pojedziemy na zakupy do Ikei? Gdzie wchodzisz, dopiero myłam podłogę! Dlaczego ciągle siedzisz przy komputerze? Kiedyś byłeś inny.

Dawniej żona Ufa robiła mu laskę w parku o dwunastej w południe. Teraz robi mu co najwyżej pranie.

Man is incomplete, until he is married. Then he is finished.

– Czy ja mówię o związku? W związku z nią nie chcę być, ale przeleciałbym z przyjemnością – powiedziałem pewnie i łyknąłem piwa. Gul-gul. Cycki Zcichapęk. Rozmiar D. To brzmi naprawdę nieźle. Wbić się w coś takiego zębami. Kto pogardzi?

– Wąsko interpretujesz – oburzył się Ufo. – Chodzi mi o to, że baba jest jak pijawka. Może być tak zjebana umysłowo, że nawet na jedną noc się nie będzie nadawać. Chociaż... to „aktorka", to kto wie.

– Stary, może to nie być zbyt ekscytująca noc, ale do łóżka nadaje się prawie każda – wzruszyłem ramionami. – W ostateczności musisz kupić trzy papierowe torby. Dla niej. Dla siebie. I na pawia po.

– Ewentualnie jeszcze jedna dla psa lub kota, żeby nie patrzył na ciebie później z wyrzutem.

Zaryczeliśmy na murku, strasząc mewy. Dowcip był stary, ale ciągle nas cieszył.

Zamyśliłem się.

Ufo jest dobrym ziomalem. Są dwa etapy znajomości: tworzenie historii i wspomnienia. Kiedy kogoś długo nie widzisz, możecie tylko wspominać to, co było dawniej. Nie macie już wspólnej historii, a rzeczy do opowiedzenia jest tyle, że na pytanie: „Co nowego?" możesz odpowiedzieć tylko: „Nic nowego". Z Ufem jest spoko. Mamy wspomnienia i tworzymy historię. To rzadkie po trzydziestce.

Pomilczeliśmy jeszcze trochę. Siorb, siorb z puszki.

– Ale mam historię dla ciebie. Pamiętasz Monię?

– Pamiętam. Co mam nie pamiętać?!

Monia to jest nasza znajoma ze studiów. Trzydzieści cztery lata. Ciągle dziewica. Sto dwadzieścia kilogramów. Sto sześćdziesiąt centymetrów w biuście. Nie mój typ. Kiedy idzie, podbija cycki stopą. Żarliwa katoliczka. Oaza od pierwszej klasy podstawówki. Między nami była nienawiść od pierwszego wejrzenia. Tak to jest. Czasami na kogoś spoglądasz i od razu nie lubisz.

– No. Co u niej? – zapytałem raczej z grzeczności.

– Ma faceta. Księdza. Znaczy się byłego księdza, bo kolo zrezygnował po drugim roku seminarium czy jakoś tak. Są dwa lata ze sobą. Zero rżnięcia w międzyczasie. On zupełnie nic. Nawet całuje się rzadko. Więc zaczęła na niego naciskać. Ma masę, więc nacisk był bardzo poważny.

Wyobraziłem sobie tę masę. Fuckt.

– Raz koleś spierdalał przed nią z pokoju tak, że aż go na balkon wyniosło.

– Znaczy się, wzięła się poważnie do roboty... – zauważyłem.

– Jakbyś zgadł. W piątek zrobiła *F-day*. Odjebała się w coś przezroczystego, zaprosiła go na kolację, świece, te sprawy. Koleś prawie zemdlał. W końcu powiedział, co jest grane. Że jest ciotą.

– ???

– Ciotą. Lubi być dymany od tyłu w różnych konfiguracjach.

– Co z Monią?

– Prawie zemdlała. Czujesz bluesa? Dwa lata jak w piach!

– To po chuj z nią był? Nie powinien wyrywać nastoletnich blond ministrantów o faszystowskim wyrazie twarzy?

– Było mu głupio przed rodzicami. Dzięki Moni miał wymówkę.

– *Cool.*

– *Cool.*

– A co ona teraz?

– Nic. Ryczy.

– Zerwała z nim?
– Żartujesz? A z kim pójdzie na wesele siostry?
– Kurwa, skąd ty to wszystko wiesz???
– Mogę ci powiedzieć, ale później musiałbym cię zabić.
– Spierdalaj!
– Sam spierdalaj!!!
– Mmmm... lubię, jak jesteś taki brutalny.
Cisza.
– Ot, widzisz, panie, jak się ludzkie zicie układa – powiedziałem. Filozoficznie. – Mam kumpelę, która była w podobnej sytuacji.
– Ładna?
– Taka sobie. Cyc ma spory. Miła dupa, w każdym razie. Spory przerób ma. Coś koło setki na rozkładzie. Ustatkować się chce od pewnego czasu. Poznała jakiegoś Wacka. 30 lat, sympatyczny, pod krawatem. Ich firmy robiły razem jakiś biznes. Bzyku-bzyk, fajnie im było. Miesiąc zajebiście. Laska się angażuje. Widzi, że on też. Co dzień kwiaty i dymanko. Cały wolny czas razem.
– I...?
Ufo wyraźnie się zainteresował. Żonaci faceci strasznie lubią rozmawiać o łatwych laskach.
– Pewnego dnia koleś mówi, że wyjeżdża na dwa tygodnie. Do Francji. Wiesz, urlop itepe. Piszą sobie rozkoszne esemesy cały czas. Tęsknię za twoja dupą, chcę przykutasić itepe. Pewnego dnia ona dzwoni do niego do pracy. Dopinali jakiś kontrakt. Rozmawia z sekretarką. Tamta mówi, że można już umowę podpisywać. Kumpela pyta, czy Jacek, czyli ten kolo, nie będzie miał nic przeciwko. Że może lepiej się z nim skontaktować i mu powiedzieć. Sekretarka jebnęła krótko, że nie chce mu przeszkadzać w podróży poślubnej.
– O, kurwa!!!

– Ale nic. Laska wytrzymała tydzień, aż wrócił. Na spokojnie się z nim umówiła i pyta się: „Stary, to prawda? Masz żonę na boku?". Koleś szok. Ale mówi: „Prawda". Że tamtej nie kocha, a właśnie ta moja kumpela jest miłością jego życia.

– I co mu odpowiedziała?

– Żeby spierdalał. Że nie wierzy w związki, które od początku są budowane na kłamstwie. I żeby się cieszył, że nie chce iść porozmawiać z żoną...

– Miło z jej strony. Twarda baba.

– Twarda.

– Dawaj piwo. Kończy mi się.

Odpaliłem kolejny browar.

– Smutno mi. Kurwa – westchnąłem.

– To skołuj sobie jaką babę.

– Wtedy będzie mi jeszcze bardziej smutno. A propos... Co u Karoliny? Kiedy rozwód?

– Nigdy, kurwa. Boję się.

– Niedługo będzie za późno.

– Wkurwia mnie. Wiesz, co ostatnio odwaliła?

– Dawaj.

– Wracaliśmy z impry nocą. Odprowadzaliśmy jej kumpelę do taksówki na Centralny. Tę Hankę, wiesz którą. Co to Karolina mi z nią trójkącik zaproponowała.

– A ty, idioto, odmówiłeś – pokiwałem z politowaniem głową.

– Bujaj się, leszczu. Ja już wiem, jak by się dla mnie ten trójkąt zakończył. Amputacją fiuta. Wsadziliśmy ją do taksówki, idziemy na nocny, ale się spóźniliśmy. „Psoko, bierzemy taksówkę", mówię. Oki, podchodzi do pierwszej z brzegu. Patrzę, Mafia: trzy zeta za kilometr w dziennej taryfie. Czyli nocą pewnie jakieś sześć zeta. Mówię: „Chodźmy do Supertaxi". Ona: „Nie". Koleś mówi zresztą, że i tak jest zajęty, ale może wezwać kogoś przez radio. Dobra, dzięki stary, beret z głowy, lecimy. I ciągnę ją. Ona się zapiera zadnimi łapami jak muł. Mówi, że kolo przecież wzywa taryfę. Tłumaczę, jak chłop krowie na miedzy: „Sześć zeta za kilometr". Ona: „Facet musi z czegoś żyć". Ja: „Ale dlaczego ze mnie?".

– I wkurwiła się.

– Wkurwiła się już dawno.

– I co?

– Jedziemy tą Mafią do domu. Sorry, stary, wpierw czekaliśmy na gościa dziesięć minut. Zgadnij ile?

– Pięćdziesiąt zeta?

– Sto czterdzieści. Z Centralnego na Ursynów, kurwa. Wchodzimy do chaty, ona prawie pluje jadem. Normalna napierdalanka. W końcu mówi, że nie będzie ze mną spać. Że jej nie kocham i mi nie zależy.

– Ma baba intuicję.

– Ma. Ona sru na kanapę. No to ja też, żeby nie być gorszym, na podłogę. Łóżko wolne. Gnaty mnie napierdalały przez dwa dni. Spróbuj się przespać na podłodze... Jakby ktoś mnie kijem od bejsbola napierdalał. No, z czego się, kurwa, śmiejesz?!

– Z niczego. Coś mi do gardła wpadło.

– Pamiętam, jak byłem na studiach, to chciałem je jak najszybciej skończyć i iść zarabiać kasę. Teraz, kurwa, tęsknię za studiami.

– I co tam było takiego fajnego?

– Mogłeś pić do rana i nikt ci z tego powodu nie robił wyrzutów?

– Teraz też mogę. I kaca mam mniejszego, bo się pić nauczyłem.

– Muzyka była fajniejsza...

– Daj spokoj Nirvana, Soundgarden i Guns N'Roses. Kolesie w przetłuszczonych włosach w porwanych ciuchach i śpiewający *Smells like teen spi*[illegible]. Co to, kurwa, niby znaczy?

– Że jak jesteś młody, to się nie myjesz?

– Wielkie mi odkrycie. I ja mam za tym tęsknić?

– Laski?

– Okay, to jest jakiś argument. Miały bardziej jędrne ciała i mniej cellulitu. Ale…

– Ale?

– Dawały mniej chętnie i nie wiedziały jeszcze, co to depilator. Poza tym miały mniejsze cycki. Stary, w latach dziewięćdziesiątych tak naprawdę nawet internetu nie było. To za czym tutaj tęsknić?

– Wiem. WIEM!

– No?

– Za Bolkiem, kurwa, i Lolkiem.

– I za Misiem Uszatkiem.

– I za Reksiem. Nie zapominaj o Reksiu.

– Przekonałeś mnie. Nie przejmuj się – walnąłem Ufa w plery. – W życiu liczy się osobowość. I cycki, rzecz jasna.

Rozdział 7

Prokrastynacja

– Czy mogłaby pani żyć bez seksu?
– Mogę. Ale co to by było za życie?
(Cindy Crawford, supermodelka lat dziewięćdziesiątych, filozof, stoik).

– Krzysiek, rusz dupę, mam fajną akcję.

– Co jest?

– Kanał *#sex. Look* – przekręciłem w jego stronę monitor. – „Laski! Dupodajki całego kraju! Atrakcyjny trzydziestotrzylatek szuka przygody na jeden wieczór, bez żadnych zobowiązań i z całkowitą dyskrecją. Wynagrodzenie: tysiąc, półtora tysiąca złotych. Warunki? Musisz być ładna, preferowany duży biust. Z góry wykluczam profesjonalistki".

– Kto to?

– Jak to „kto"? Ja! Nie widać?!

– No to teraz pojebało cię już do reszty – Krzysiek z politowaniem pokiwał głową. – I co? I co?!

– Eksperyment socjologiczny, pacanie. Właśnie Kicia mi mesga posłała.

– Kicia?

– Twierdzi, że tak się nazywa. Ja z grzeczności nie protestuję. Zobacz lepiej, co pisze.

Krzysiek energicznym kopem w obrotowe krzesło wywalił mnie spod monitora.

#Kicia: „Jeśli naprawdę zależy Ci na spotkaniu z ładną panienką na jeden wieczór, to wydaje mi się, że jestem odpowiednią osobą; wysyłanie mojego zdjęcia jest trochę bezsensowne, ale rozumiem Cię, dlatego mam dla Ciebie propozycję, byśmy się spotkali gdzieś na chwileczkę, byś mógł sam ocenić, czy warto. Tak byłoby najlepiej. Jeśli bardzo zależy Ci na fotce, to Ci prześlę, ale jedynie figury, bez twarzy... No nic, jeśli będziesz miał chwilkę, to byłabym wdzięczna za odpowiedz. Pozdrawiam i życzę Ci miłego weekendziku. P".

– To „pe" na końcu to...?

– No, emotikon-sremotikon. Wysunięty jęzor.

– O, kurwa!

– Dobry komentarz.

– Co jej piszesz?

– Jak to co? – zdziwiłem się. – Niech podeśle zdjęcie. Co to, randka w ciemno czy jak?

– Wyłącz to, Gustaw idzie.

Gustaw wszedł esesmańskim krokiem. Brakowało mu jeszcze lakierowanych oficerek i szpicruty pod pachą. Wrażenie podkreślały wielkie wory pod oczami. Sine. Ledwo wlazł, a zaszczekał.

– Do chuja, panowie, co jest z umową?

– A co ma być? – zapytałem z głupia frant. – Pisze się, nie?

– Miała być na wczoraj, do nędzy! Co wy tutaj robicie całymi godzinami? Konia walicie?

Przybrałem zbolały wyraz twarzy.

– Gustaw, szkoda mi energii. Mógłbym niechcący poplamić klawiaturę.

– Co ty, Czarny, pierdolisz?

– Gustaw, *read my lips*. TO CIĘŻKA SPRAWA JEST. Capito?! Nie wysramy tego od razu, chociażbyśmy się skichali, no. Daj nam jeszcze ze trzy godziny. Przecież widzisz, że robimy, jak możemy. Właśnie się z Krzyśkiem naradzam, co robić z tym shitem. Nie, Krzysiek?

Krzysiek potwierdził energicznym skinięciem głowy, czym ujął widać Gustawa za serce, bo ten poklepał go po szczęce otwartą łapą, jak głaszcze się psa, i zagaił:

– Doooobry murzyn. Duży. Silny.

Krzysiek się wzdrygnął.

– Oj, Gustaw, nie pierdol. Co to, kurwa, plantacja w Alabamie? – zapytałem bezczelnie.

Gustaw spojrzał na mnie jak krowa na pociąg. I przekierował swoje szefowskie zainteresowanie na Olgę.

– A to co? No, normalnie jesteś ubrana jak dziwka.

Olga spojrzała ze zdumieniem na swoją spódniczkę kończącą się przed kolanami, i bluzkę, z której wystawała, tak na oko, połowa cycka. I zakipiała.

– Gustaw, to że ci niby-prawnicy z wyższym ponoć wykształceniem zachowują się jak żule pod budką z piwem, znoszę z trudem. To, że używają słowa „kurwa" jako przecinka, również. To, że ty bierzesz w tym udział, jest dla mnie skrajnie szokujące. Ode mnie się odwal! Albo powiem inaczej, tak, aby istniała stuprocentowa szansa, że mnie zrozumiesz: ODPIERDOL SIĘ Z TAKIMI TEKSTAMI! NIE ŻYCZĘ SOBIE TEGO!!! ROZUMIESZ?!

– Co cię ugryzło?!

– Nic mnie nie ugryzło!!!

– Okres masz czy co?

– Gustaw... Nie, nie mam – odpowiedziała Olga podejrzanie słodko. – Ale następnym razem jak do pracy przyjdzie twoja żona, powiem jej, że się do mnie dobierałeś i dostałeś po łapach. Jak myślisz, uwierzy mi czy nie?

– Nie zrobiłabyś czegoś takiego! – Gustaw się zaniepokoił.

– *Watch me!*

– Dobra, dobra.

– Gustaw, co się mówi?

– Okay, przepraszam.

– Proszę.

Drzwi za Gustawem zamknęły się z trzaskiem.

– Dupek – Olga poprawiła włosy i z torebki wyjęła lakier do paznokci.

– Pisz, ziomek, pisz.

– Piszę, nie?

#Czarny: „Droga Kiciu. Z natury jestem człowiekiem leniwym. Perspektywa udania się gdzieś, aby popatrzeć na kogoś przez 15 sekund, czy mi się spodoba, czy nie, źle mi działa na nogi. Tym bardziej, że możesz równie dobrze wyglądać jak połączenie słonia z morświnem. I co ja wtedy zrobię? W końcu nie mamy zamiaru spotykać się dla konwersacji. Innymi słowy: tak, chcę zdjęcie".

– Prześle?

– Zawsze przesyłają. Patrz!

#Kicia: „Jesteś wybredny, ja to ta blondynka w różowej bluzeczce i niebieskiej spódniczce, myślę, że spełniam Twoje oczekiwania!".

– Otwieraj, otwieraj.

Spojrzałem na fotę.

– W sumie to wygląda nieźle. Szmatowato, ale nieźle.

Na zdjęciu przed domem i murem z cegły była starsza kobieta koło pięćdziesiątki karmiąca psa. Obok niej stała platynowa blondynka w bardzo krótkiej spódniczce i obcisłej bluzce. Twarz zgrillowana na solarze turbo. Na ramieniu srebrna torebka z ozdobnymi kółkami. Na nadgarstku srebrna bransoletkę z czymś, co imitowało dwie duże perły.

– Szmata straszna – Olga wychyliła się znad komputera.

– Mówiłem przecież, nie?

– Czekaj, daj niżej. Ma fajne buty – stwierdziła Olga autorytatywnie. – Spytaj ją, gdzie kupiła te buty.

– Pojebało cię chyba do reszty. Nie ma mowy. Krzysiek, co sądzisz?

– No, ja się nie znam na butach… ale daj, zobaczę

– O dupie co sądzisz, deklu!

– Olga ma rację. Szmatowata jakaś – Krzysiek przekrzywił głowę, żeby się dokładniej przyjrzeć. – Dyskoteki na wsi mi przypomina. Za trzy mamroty bym taką zaliczył, a nie za półtora patyka.

– A kto ci każe płacić półtora patyka? Mam takiego kumpla Koguta. On by jej wpierw kasę obiecał, później by ją przeleciał, a potem jeszcze kazał dopłacić.

– Brrr. To niehigieniczne. I nieestetyczne – zadygotał z obrzydzenia Krzysiek. – *Pacta sunt servanda.*

– Dobra, dobra, rozumiem.

#Czarny: „Dzięki za zdjęcie. Ładny płot. Jesteś atrakcyjną kobietą i nie wątpię, że kiedy idziesz ulicą, większość facetów doznaje bolesnej erekcji. Z przyjemnością pobawiłbym się twoimi, fantastycznie na zdjęciu wyeksponowanymi piersiami, ale nie za półtora patyka. Moje doświadczenie życiowe, a żyję z oceniania szans różnych przedsięwzięć, mówi mi, że mógłbym cię bzyknąć za darmo. Pozdrawiam".

– I co teraz?

– Zgodzi się albo każe spadać. Alternatywa rozłączna. Czekaj, pisze… Ooo…

– Co ci tam nasmarowała? – Olga wsadziła łeb przed monitor. – He, he.

#Kicia: „Drogi ograniczony facecie! Bardzo się mylisz co do mojej osoby, bo bzyknąć to możesz muchę, która Ci się da... Teraz wiem, że jesteś głupim, lubiącym robić sobie żarty palantem! Szkoda, że po naszej planecie pełzają takie robactwa, ale życzę Ci powodzenia i zarażenia się najgorszą chorobą w tych Twoich przelotnych znajomościach! Żegnaj!".

– Jest sprawiedliwość na tym świecie – stwierdził Krzysiek z ulgą.

– Zdenerwowała się.

– I co, odezwie się jeszcze?

– Odezwie się. Jak wyskoczysz z półtora klocka, to na pewno.

– *Cool*. Miło wiedzieć, że są przed tobą jeszcze jakieś seksualne perspektywy.

– Teraz się nie mówi *cool*, pedale – odpowiedziałem dumnie.

– A jak się mówi?

– *Jazzy*.

– Nie mówi się już *jazzy* – stwierdziła Olga, malując paznokcie na burdelową wiśnię.

– ???

– Mówi się *freaky*.

– Co???

– *Freaky*. Ale wy dwaj nie możecie mówić *fre-a-ky*.

– Bo?

– Nie byliście nawet *cool*.

Olga z dumą wymalowaną na twarzy wróciła do malowania paznokci.

Cisza.

– Idę do automatu. Chce ktoś coś?

– A co z tą umową? Obiecałeś ją Gustawowi.

– Jaja sobie robicie – prychnąłem. – Przecież on jej nie przeczyta, tylko odeśle, żebyśmy poprawili. Dla zasady.

– Do roboty! Albo idź posuwać te swoje kicie. Zoofililu. Wsadzą cię jeszcze za to – zagroziła Olga.

– Droga koleżanko. Jako doświadczony prawnik powinnaś już dawno temu wiedzieć, że zoofilia w polskim prawie nie jest karalna – zauważyłem złośliwie.

– Jak to nie jest?! Jak to nie jest?! CO TY PIERDOLISZ?! Oczywiście, że zoofilia jest karalna! – wrzasnął Marian, co było o tyle zaskakujące, że Marian zlewał nasze, jak to określał, gówniarskie konwersacje, dzieląc swój czas spędzany w pracy sprawiedliwie na akta i szukanie na Allegro faszystowskich akcesoriów z czasów drugiej wojny światowej. Ostatnio kupił sobie zdjęcie Himmlera z autografem. Ponoć autentycznym.

Do pokoju powrócił Gustaw.

– A kto się interesuje? Co chcecie ruchać? – zapytał.

– Olga chce – zripostował błyskawicznie Krzysiek.

– Krzysiek. Zastanów się, co mówisz, do kogo i jakim tonem! Walnęłabym cię zszywaczem prosto w głowę. Ale szkoda mi energii na coś podobnego. Poza tym, paznokcie muszą wyschnąć.

– Nie no, kurwa – przewróciłem oczami, grzebiąc w Lexie, a jeszcze konkretniej w kodeksie karnym. – Spokój! Jak mówię, że nie jest, to nie jest... – mruczę dobitnie. – Owieczki, kózki, kotki można dmuchać...

Gustaw: – No nie, kotki to nie!

Szukam w kodeksie karnym.

– Taaa... przestępstwa przeciw wolności seksualnej i obyczajnoooooościiii.

Krzysiek: – Można dmuchać owce i koziołki...

Gustaw: – Co ty pierdolisz?! Zakaz dmuchania kotków jest w kodeksie karnym. A jak nie, to w prawie o ochronie zwierząt!!

– Panowie, spokój. Czytam! Artykuł 202 paragraf 3: „Kto w celu rozpowszechniania produkuje, utrwala lub sprowadza, przechowuje lub posiada albo rozpowszechnia lub publicznie prezentuje treści pornograficzne z udziałem małoletniego albo treści pornograficzne związane z prezentowaniem przemocy lub posługiwaniem się zwierzęciem, podlega karze pozbawienia wolności od 6 miesięcy do lat 8". Wniosek? Owieczki, chomiki, kózki, krówki śmiało możecie dmuchać! I przez kodeks karny to zabronione nie jest!

– Pierdolisz, Czarny! A prawo o ochronie zwierząt? Jeśli zadajesz ból zwierzęciu, jesteś karany. Czyli jak przelecisz kota czy psa, to jest to karalne. Jak klacz, to co najwyżej pomyśli, że z ciebie słaby ogier – zaperzył się Gustaw.

– A gdzie ty tutaj widzisz ból i znęcanie, ha? Spółkować można. A walenie klaczy to co to jest? Zoofilia. Czyli zoofilia z klaczą jest dozwolona. Może niekoniecznie z chomikiem czy kotem, ale duży pies już dałby radę. Owieczka, kózka, krówka – można ruchać, ale nie utrwalać tego i nie przechowywać w domu! W sensie: posiadać nie można, nie?

– Jakbyś przewalił wielkiego spasionego bernardyna samca w dupę, to, uwierz mi, nie byłby szczęśliwy – warknął Krzysiek.

– Biegłego psychologa powołasz? A jak kotek ma wyjątkowo rozciągniętą pupę i jest gwiazdą porno?

– Mówisz o Jennie Jameson? – wtrącił się Gustaw.

Krzysiek zarechotał, ja zarechotałem, Gustaw też zarechotał.

– Męs-kie-świ-nie!!! – wyskandowała z obrzydzeniem w głosie Olga.

– Reasumując, czy to będzie znęcanie, czy nie, to już zależy od podejścia kozy – zauważyłem roztropnie. – Trzeba ją przesłuchać. Biegłego wezwać. Obdukcję zrobić.

Zarechotaliśmy rytmicznie wszyscy oprócz Olgi.

– Wypierdalać mi, prostaki, do pracy! Ale już! – zawyła Olga.

– Olga, weź coś na głowę. Najlepiej ścianę. Wybierz jakiś miękki kawałek – poradziłem.

Tutaj już się nie dało zacytować Olgi, więc wróciliśmy do pracy.

Rozdział 8
Onanizm

Kulturalny mężczyzna na widok pięknej, nagiej kobiety nie zarumieni się.
Nie wystarczy mu krwi.

Właśnie zobaczyłem nagą kobietę. O ile z odległości dwudziestu pięciu metrów mogę coś powiedzieć, to laska z wyglądu przypomina Magdalenę Cielecką, tylko ma pełniejsze usta i trochę większe oczy.

Dobry słowiański chów. Taka zimna rosyjska blondyna. Długie włosy kończące się w połowie pleców. Wściekle chuda. Wyprostowana. Wyniosła. Zwarte pośladki. Dobre nogi. Lekko suczy wyraz twarzy, charakterystyczny dla pracowników szklanych koproracji. Pokuszenie na żywo. Bez dźwięku.

Stałem przy oknie. Z lornetką.

23.30.

Kontemplując rzeczywistość. Na dole dwa audi – jedno A3 drugie A4, dwa focusy z kratą, dwie vectry, jeden saab, jedna A-klasa, dwie primery, trzy mondeo. Wszystkie służbowe, wszystkie odpalane o 6.30 rano.

Jutro poniedziałek, najbardziej chujowy dzień tygodnia. Do weekendu całe, kurwa, pięć dni. Trzeba wstać wcześnie, być dobrym obywatelem i spłacać raty kredytu. Jeszcze czeka mnie tylko prasowanie spodni, marynarki, białej albo niebieskiej koszuli, wiązanie krawata, czyszczenie butów, mrożenie red bulla i wkładanie laptopa do teczki. To jest ubaw, o którym marzyłem, będąc dzieckiem. Aha, i to mi się wydawało tak fascynujące, kiedy byłem na studiach.

Pociągnąłem ostatniego łyka guinnessa. Powinienem mniej pić.

Postanowienie numer pięć... set. Nie pić. Odżywiać się zdrowo. Jeść dużo ryb. Umrzeć na zawał w trakcie joggingu.

Na nowych osiedlach, jak ktoś sobie zafunduje mieszkanie, to przez kilka miesięcy żyje w nędzy i poniżeniu. I bez rolet bądź żaluzji, bo ma inne priorytety, jeśli chodzi o wydatki. Do Ikei na maraton Ironmana trzeba jechać. Widelce, garnki i dywanik pod wannę kupić. Regał Billy. A żaluzje? Kto by dbał o żaluzje.

WTEM!!! W mieszkaniu naprzeciwko. Goła dupa! W sensie kobieta. Zdejmuje bluzkę. Niby widziałem nieraz, a nadal kręci.

Haiku: lekko opadający cyc. Zdejmuj stanik dziffko!

A cytując Starowiejskiego: „Cyc nie chuj – stać nie musi".

Stanik biały. Wiązany z przodu. Dolna połowa misek jest przeźroczysta. Górna ma koronkę. Zresztą, srał pies, jak wygląda stanik! I tak liczy się to, co jest pod stanikiem! Dwie kopuły. Santa Maria del Fiore! Nie przypuszczałem, że zmieniłem nagle strefę czasową. Niby wieczór, północ właściwie, a ja mam nagle poranną erekcję.

Chodzi po mieszkaniu. Pochyla się nad komputerem. Włącza komputer. Idzie do telefonu, sprawdza sekretarkę. Wraca do komputera. Wali w klawiaturę, aż dym idzie.

Blog?
Gadu?
Sympatia?
Facebook?
Gdzie uprawiasz seks, kobieto? Hę?
Klon naturalnie nie odpowiedział. Zdjął za to spódnicę. Tanie a skuteczne, nie? Został tylko w białych majteczkach. Jak dla mnie super. Kamasutra w stopniu zaawansowanym. Piwo. Świeże powietrze. Ładna kobieta. Peep. Peeper.

Cielecka ma fajne, szczupłe nogi. Faceci są fetyszystami w różnych dziedzinach. Dla jednych najważniejszy jest biust – i to jest moja kategoria. Dla innych tyłek – tutaj również mam swoje drobne udziały. Inni szaleją na punkcie palców u stóp bądź stóp, których lizanie podnosi ich w górę niczym Saturn V. Jeszcze inni wolą nogi. Rozumiem to – te przede mną są całkiem przyzwoitej jakości. Proste, szczupłe, stworzone do noszenia szpil.

Pewnie jakbym się przyjrzał z bliska, zobaczyłbym cellulit, nadwagę, nieforemne kostki, za długie palce, za krótkie palce, za małe wycięcie w talii, wory pod oczami, nieforemny tyłek, sypiącego się wąsa czy fałdy tłuszczu na plecach.

Klon przez najbliższe 120 sekund, do momentu kiedy skończę walić konia, pozostaje jednak moją doskonałością. Ideałem kobiety. I nie mam zamiaru tego zepsuć.

Rozdział 9
Spychologia

SŁOIK – element napływowy z mniejszego miasta do Warszawy. Zapytany, skąd jest, odpowiada, że z Płocka, Radomia czy Słupska. Po krótszej bądź dłuższej rozmowie okazuje się, że chodzi o jakieś dziury pod Płockiem, Radomiem czy Słupskiem. Nazwa SŁOIK bierze się od przywożonych z dziury spod Płocka, Radomia czy Słupska wiktuałów. Słoików jest tyle, aby wystarczyło do następnych odwiedzin w domu. Sprawdza się bigos. Słoik zazwyczaj robi dużą karierę, zostając np. menadżerem w sieci sprzedającej buty. Raczej bezwzględny.

Gustaw wkroczył do mojego brojlera. Tak jest. Nie wszedł – wkroczył. W koszuli kupionej po przecenie w Zarze, garniturze od Bossa nabytym na promocji w Peeku, krawacie z siedemdziesięcioprocentową zniżką z Royal Collection i butach z Venezii (zeszłoroczna kolekcja, obniżka o pięćdziesiąt procent). Dobiegł mnie silny zapach kupionego rok temu podczas wycieczki na Bali w strefie wolonocłowej Diorowego Fahrenheita.

Ten zadowolony konsument obrzucił wzrokiem mój komputer Apple, mojego iPada, moje słowniki, mój plakat, moje napoje energetyczne i cały burdel, który piętrzył mi się na biurku. Uśmiechnął się niemal niedostrzegalnie, bo to, co zobaczył, pasowało mu do obrazu wszechświata pełnego marek, naszywek, logo i reklam telewizyjnych. Nachylił się nad moim korytem, a właściwie w porównaniu do jego koryta – korytkiem, a może nawet koryteczkiem, i rzekł:

– Czarny, sprawa jest.

Sprawdziłem swój wskaźnik entuzjazmu. Jakoś nie drgnął ani odrobinę.

– No – powiedziałem asekuracyjnie, będąc w rozkroku między poczuciem obowiązku a chęcią powiedzenia: „Spadaj, gościu. Zabierz się stąd ze swoimi zadaniami, problemami i korporacyjnym bełkotem. Turlaj się, przypadkowa kombinacjo białka. Zostaw mnie samego w moim brojlerze. Daj mi w spokoju kontemplować cycki celebrytek na Pudelku. A może, jak starczy czasu, to nawet romanse Kim Kardashian – duży tyłek, duże piersi (ona mi się podoba, ale Lindsay Lohan też mi się podoba)".

Rzecz jasna, nie powiedziałem nic. Zrobiłem za to durną minę.

– Co, Czarny, tak się wykrzywiasz, jakby ci się srać chciało? – zdziwił się Gustaw.

– W sraniu to on ma dobrą praktykę. Nie słyszałeś, jak był na Mazurach? – wtrącił Krzysiek.

– Jesteście obrzydliwi – prychnęła Olga. – Gówno, dupy, zoofilia... Margines społeczny, psiakrew, a nie prawnicy.

– To co było na tych Mazurach? – zapytał Gustaw.

– Nie znasz tego? Byłem na desce razem z Jastrzębiem, instruktorem windsurfingu...

– Ja wychodzę. CZTERY RAZY TO JUŻ SŁYSZAŁAM! Za każdym jest tak samo obrzydliwie.

– MÓW!!! – ryknęli razem Gustaw i Krzysiek.

– No, zeżarłem przed wejściem do wody pierogi z wiśniami, wypiłem małe piwo i idziemy do wody. Pływamy, pływamy, Jastrząb mnie napierdala tym wiosłem. Plecy mam czerwone. Dupę całą poobijaną. Czuję, że siniaki będę leczył jeszcze ze cztery tygodnie. Ale stoję dzielnie na tej desce na środku jeziora. Czuję się... No, jakoś mało rześko się czuję.

I – w komiksach by narysowali: WTEM!!! – czuję bulgot. W żołądku. Wiesz, takie totalne pierdut, które robią kichy, gdy zaczyna chcieć ci się srać.

Krzysiek zachichotał. Gustaw zarechotał do wtóru.

– Myślę: oho! Browar czy pierogi?

– Kiedyś się strułem browarem. Te rury doprowadzające piwo z beczek do dystrybutorów były brudne. Rzygałem jak kot przez dwa dni – podzielił się Gustaw.

– Ja, post factum, też obstawiam browar. Jakiś taki mało nagazowany był – wyjaśniłem. – Więc, czuję pierwszy bulgot, czyli organizm daje mi jakieś dziesięć minut, zanim puszczę bengala albo eksploduję gównem tomahawk w celu. Do brzegu w pytę daleko. Dookoła zresztą same plaże, a ciężko wywlec się na ląd i spuścić gacie, podczas gdy grono wczasowiczów będzie bić brawo i domagać się powtórki. Nie mam czterech lat i na tyle mocnej psychiki.

– Moja kumpela, jak była na imprezie, to z jednej strony srała na kibelku, a z drugiej rzygała do miski – rozmarzył się Krzysiek.

– *Don't steal my thunder!* Ale twarda zawodniczka, przyznaję. Jak się na wodzie zachce komuś lać, okay. Trzaskasz w gumową piankę, którą masz na sobie i wszystko wypływa nogawką. Spadasz do wody, cztery ruchy rękoma i jesteś czyściutki i pachnący jak noworodek. Zesrać się w gacie jednak nie mogę. Wyglądałoby co najmniej niesymetrycznie. Wielkie zgrubienie na czarnej dupie. Wyjdę na plażę i która mi da? Gościowi, który najwyraźniej ma hemoroidy mutanty i śmierdzi gównem? Myślę, „Nic to. Wytrzymam". Płynę do brzegu. Już niedaleko. Żyły na czole mi wystają. Można policzyć spokojnie puls. Zaciskam zęby. Żagiel – 6,6 metra. Mówiąc po ludzku, w chuj wielki. I ciężki. Co chwila ląduje w wodzie, bo nie mogę się skoncentrować. Żeby folię z wody wyciągnąć, trzeba co zrobić...? No?

Na twarzy Gustawa malował się znak zapytania. Za to Krzysiek, znający dobrze zakończenie historii, ze śmiechu zwijał się na podłodze.

– Spiąć się trzeba – wyjaśniłem. – Mięśnie zacisnąć. Dla zwieraczy to tragedia. Nic to. Trzymam. Żagiel złapał trochę wiatru. Robię balet w powietrzu. Noga w górze. Druga noga w górze. Kozioł. Jebnąłem się głową o kant deski. 5.0 – wartości artystyczne. 4.8 – technika. Sędzia z DDR wstrzymał się od głosu. Jestem w wodzie. „Nie wytrzymam", myślę. Główkę już widać. Ściągam gacie. Łapami trzymam się deski. Właśnie mija najpiękniejsze 30 sekund mojego życia. SRAM! I wiesz, Gustaw, co było dalej?

– Co?

– Wciągam gacie! Gówno dryfuje w moją stronę! Macham łapami w tempie Otylii. Wchodzę na deskę. Ocieram pot z czoła. Byłem na kursie kolizyjnym. Do brzegu spacerkiem. Siadam na plaży. Wykończony.

– I co, to już wszystko?

– O, żeby to był koniec, to ja byłbym szczęśliwy. Ale nie. Znowu bulgot. Kałdun mi puchnie. Zwieracz mi pęka. Deska pod pachę. Przyspieszam kroku. Pośladki zaciśnięte. Drobię jak gejsza. Lecę do domu Jastrzębia. Deskę jebłem na trawę na podwórku. Nawet nie pomyślałem, że może ją ktoś zajebać. Do kibla wpadam razem z drzwiami! Siadam na kiblu. Gówno leci ze mnie tak, że zginam się w pół. Wpierw twardziele, grube jak ręka niemowlaka. Później zupa grzybowa. Godzina jak nic. Wstaję zbolały.

Nie mówię, że wiem, co czuje kobieta, gdy rodzi. Ale byłem blisko. I słuchaj, teraz jest najlepsze. Kibel jest starego typu. Ze zbiornikiem na wysokości dwóch metrów, żeby woda miała rozpęd. I z tak zwaną podstawką na gówno. Patrzę i oczom nie wierzę. Bite i szarpane cztery kilo. Jak krowa na łące.

– Masz osiągnięcia.

– No. Podcieram dupę i spuszczam. Naciskam przycisk i co???

– ???

– I to było, kurwa, najtragiczniejsze. Zbiornik od kibla był stary. Wiesz, lata sześćdziesiąte, żeliwny, podwieszony na dużej wysokości. Jak woda z niego leciała to ino z wizgiem!!! I woda poleciała. Sruuuu!!! Prześlizgnęła się po tej tamie z gówna, zabrała ze sobą trochę i wywaliła mi to wszystko na zdjęte gacie. Całe spodnie miałem obsrane…

– Dobre. Dobre, bo polityczne. I z emocjami – zauważył z uznaniem Gustaw. – A znacie to, jak policjant zatrzymuje dresiarza w bmw?

– Dawaj.

– Zatrzymuje go i mówi: „Dokumenciki proszę". „Nie mam dokumencików". „Aha, bez dokumencików jeździmy?". „Ale tu mam zaświadczenie o skradzeniu dokumentów, mam jeszcze tydzień na wyrobienie nowych…" – broni się dresiarz. Policjant sprawdza, pieczęcie, podpisy, wszystko się zgadza… Obchodzi samochód, uśmiecha się szeroko i mówi: „No proszę, jeździmy auteczkiem na niemieckich numerach?". „A tak, proszę bardzo, mienie przesiedleńcze, mam jeszcze dwa tygodnie na zarejestrowanie", podaje mu dokument. Policjant sprawdza, pieczęcie, podpisy, wszystko się zgadza… Poirytowany każe otworzyć bagażnik. W bagażniku trup. „A to co?!". „A to wujek Rysiek, proszę oto akt zgonu", podaje policjantowi dokument. Policjant sprawdza pieczęcie, podpisy, wszystko się zgadza... „No, akt zgonu w porządku, ale tak nie wolno przewozić zwłok". „Proszę, tu jest pozwolenie na transport zwłok, jutro pogrzeb w kaplicy Świętego Jana w Krakowie", dresiarz podaje policjantowi dokument. Policjant sprawdza, pieczęcie, podpisy, wszystko się zgadza... Zdesperowany zagląda do bagażnika, zauważa coś... i pyta triumfalnie: „A dlaczego denat ma lokówkę elektryczną w odbycie?!". Dresiarz podaje mu dokument: „Proszę bardzo: ostatnia wola wuja Ryśka!".

Ryknęliśmy śmiechem.

– Dobra, Czarny, my tu pitu-pitu, a ja sprawę do ciebie mam. Chodź do kąta. Sorry, Krzysiek.

– No, co tam?

– Trzeba na poniedziałek umowę zrobić.

– No?

– Na TEN poniedziałek – wyjaśnił.

– Ale jest piątek – zaprotestowałem słabo.

– Czarny, sukces. W trzydziestym piątym roku życia opanowałeś dni tygodnia. Gratulacje.

Zapadła cisza. Konwersacja nie posunęła się do przodu ani o centymetr. Gustawowi kropla potu spływała z czoła, poprzez skroń na policzek. Gdzie on się tak, skubany, spocił? Coś należało powiedzieć. Konwencja społeczna tego wymagała. Nie byłem w stanie wytrzymać takiej dzwoniącej w uszach ciszy.

– Co to za umowa? – zapytałem niechętnie. – Supermarket?

– Nie. Jakieś barachło dla Stefana. Umowa kupna jego nowego domu – Gustaw zrobił obojętną minę, jakby mi oznajmiał, że właśnie idzie do kibla. – Szybka sprawa, zrobisz to w sobotę, wyślesz mi, ja to poprawię w niedzielę i podeślę Stefanowi, tak aby miał umowę na poniedziałek rano – objaśnił.

No to wszystko jasne. Nasz dialog, w języku współczesnej korporacji oznaczał następujący rozwój wypadków: Stefan spotkał Gustawa przypadkiem na korytarzu, w windzie bądź zwyczajnie po niego zadzwonił (wstawić właściwe). Oczywiście poprosił Gustawa o pomoc. Oczywiście Gustaw nie mógł mu odmówić. Oczywiście prośba Stefana była mu nie na rękę. Oczywista oczywistość, postanowił znaleźć frajera, który zrobi to za niego. Wmawiając mu jednocześnie, jak wielki to zaszczyt na niego nadciągnął. W sumie to chyba powinienem z tej wdzięczności Gustawowi laskę zrobić. Oto Gustaw. Gustaw jest bardzo grzeczny dziś. Może państwu łapę poda? Nie chce podać? A to szkoda.

Oczywiście mógłbym odmówić wprost.

Ale... ja mieć kredyt do spłacenia. Na mieszkanie. I samochód. I lubić biała rozrywki. Imprezy lubić. A najbardziej lubić białe kobiety o ponadnormatywnym rozmiarze piersi. Takie kobiety lubić również pieniądze. Ja nie móc stracić pracy. Czarna masa lubić kasę z praca. Trzeba było zagrać subtelniej.

– To dlaczego przyszedłeś z tym do mnie? – rozłożyłem ręce z pokorą. – Jam ci tu niższy czeladnik. Ciżemki robić, owszem. Ale dom dla Stefana? Za wysokie progi. Tu trzeba kogoś z doświadczeniem. Z wyczuciem. Inaczej to by było nieestetyczne. Niehigieniczne. Brrr – pokręciłem przecząco głową, robiąc minę uczciwego, sympatycznego, ale jednak jełopa. – Mi kury szczać prowadzać, a nie prywatną umowę dla Stefana robić. Za rok, za dwa może. Ale teraz? – smarknąłem z przejęciem.

Zazezowałem ukradkiem, czy połknie haczyk. Jednak Gustaw zbyt wiele razy robił redystrybucję obowiązków, aby się złapać na taki prosty numer. Jest oporny jak muł i trudny do zajebania.

– Czarny, jesteś świetnym specjalistą. Inaczej zresztą byśmy cię tu nie trzymali – zręcznie podniósł swoją pozycję negocjacyjną. – Dasz radę. Jesteś doskonałym prawnikiem i murowanym kandydatem za kilka lat na partnera. – (Ciekawe, że kiedy starałem się o podwyżkę, słyszałem coś zupełnie odwrotnego). – To naprawdę chwila roboty. Zrobisz dobre wrażenie na Stefanie. Uwierz mi, na pewno nie zaszkodzi. To jak? – pytanie zawisło w powietrzu.

Trzeba było zmienić taktykę. Była tylko jedna rzecz, która mogła mnie ocalić. Prosta. Bezkompromisowa. Celna i piorunująco skuteczna. Znaczy się spychologia. Rozejrzałem się dookoła, sprawdzając, kogo nie ma na brojlerach. Olgi ciągle nie było. Olga, wybacz mi.

– Gustaw, co ci będę ściemniał. Z fajną dupą na weekend się umówiłem. Mam zamiar z wyra nie wychodzić. Nie możesz mi, stary, tego zrobić – spojrzałem błagalnie.

Gustaw wyraźnie się zastanawiał, co zrobić z takim fajnym chłopakiem, który – owszem – wymiguje się od roboty, ale uczciwie o tym informuje szefa i ma powód. I to jaki powód. Taki, który rozumie każda mężczyzna.

– Ale kto, jak nie ty? Krzysiek?

– JA NIE MOGĘ!!! – Krzysiek, gumowe ucho, wydarł się jak nic z dziesięciu metrów. – Ja się kąpię w sobotę!

– Cały dzień? – zdziwił się Gustaw.

– Cały. To comiesięczny rytuał. Wymóg religijny!

– Ty, Czarny, czego on się nażarł? Co on pierdoli???

– Nie wiem. Znasz go, cały czas na jakichś pigułach leci. A może Olga – podsunąłem zręcznie. – Ona planów na weekend nie ma. Poza tym niedawno kupowała mieszkanie. Ma praktykę – dodałem szatańsko.

– Może to nie jest taki zły pomysł – Gustaw wyraźnie miękł na myśl o weekendowej rozmowie z Olgą, choćby miała ona mieć miejsce tylko przez telefon.

– No. I Olga z całą pewnością zrobi ci to nieźle. Ba, jeśli nawet chcesz, to mogę sczytać po niej umowę, zanim trafi do ciebie – bohatersko wyszedłem z inicjatywą.

– Dobra, pogadam z nią – Gustaw się zdecydował.

– Świetnie. To kwestię mamy załatwioną, nie?

(To teraz mam jakieś dwadzieścia minut, zanim Gustaw dorwie Olgę, bo jeśli przy tym będę, to czeka mnie dramat szekspirowski. Znaczy się, w ostatnim akcie kogoś zajebią szpadlem albo zakopią żywcem. I istnieje duże prawdopodobieństwo, że to ja będę walnięty trzonkiem albo, co gorsza, trzeba będzie wyprowadzić karawan).

– Załatwioną, załatwioną. Ale pamiętaj, Czarny, żeby to było ostatni raz! – Gustaw pogroził palcem.

Zrobiłem minę skarconego pięciolatka, któremu właśnie pani nauczycielka zabrała samolot.

– A widziałeś nową bibliotekarkę? – zmieniłem temat.

– Fajna dupa, nie?! Jakie ma filety! – Gustaw wpadł w szczery zachwyt.

– Też jestem pod wrażeniem.

– Gdybym nie był żonaty… – Gustaw ewidentnie się rozmarzył.

– Poczytaj sobie „Cosmo", będziesz wiedział, co zrobić w życiu, kiedy spotka cię taki dylemat – zakpiłem okrutnie.

– Czarny, ty, kurwa, sobie jaja robisz z poważnych rzeczy!

– Cały problem w tym, że żona cię nie rozumie, co?

– Jakiego tam chuja, nie rozumie. Od kiedy to ja oczekuję od kobiety, żeby mnie rozumiała – zdziwił się Gustaw. – Ciurlać mi się chce.

– Tyle fajnych dup na Naszej Klasie. Na co czekasz? Dorosły jesteś. Korzystaj.

– Opory mam.

– Chyba wzdęcia. Gwarnatuję ci, że twoja żona nie ma.

– W sensie?

– Na pewno ma jakiegoś gościa.

– Czarny, kurwa, co ty pierdolisz! To matka moich dzieci!

– Gustaw, każda kobieta ma jakiegoś faceta w zapasie. Na wszelki wypadek, gdybyś ty, jako pierwszy wybór, zawiódł. Zapytaj się jej, jak nie wierzysz.

– Czarny, zapamiętaj to sobie raz na zawsze: MOJA ŻONA MNIE NIE ZDRADZA!

– A czy ja mówię, że zdradza? – wyjaśniłem znudzony. – Po prostu umawia się z nim od czasu do czasu. Może da mu dotknąć cycka. Pocałować z jęzorem. Pomacać po tyłku. Ale do łóżka z nim nie pójdzie. Raczej. Wiesz i owce całe, i wilczyca zawsze dziewica.

– Czarny, ja pierdolca przez ciebie dostanę – jęknął Gustaw.

– Spoko, spoko. Jak pierdolca dostaniesz to przez baby, a nie przeze mnie. Dobra, ja idę. Fajnie się gada, ale tam robota czeka. I bibliotekarka – uśmiechnąłem się szatańsko.

Do brojlera wróciłem po godzinie. Wpierw uciąłem sobie pogawędkę z bibliotekarką na temat fatalnych zachowań jej faceta. Rano, wychodząc do swojego kopro, zostawił jej zamiast śniadania herbatkę na odchudzanie. Co za kosmiczny frajer. Przez dwa kwadranse bezapelacyjnie wyjaśniłem jej, że jest piękna, a jej waga po prostu idealna. Żegnała mnie z widocznym zainteresowaniem.

Kwadrans spędziłem z sekretarką Stefana, wypytując wpierw o jej wnuczka, hodowlę pelargonii, ogródek przy domu, a w końcu o to, co dzieje się w firmie. Stefan lubił doświadczone sekretarki, a pani Grażyna może i miała prawie sześć dych na karku, ale również pamięć jak Matuzalem, a w dodatku potrafiła nawet obsługiwać Accessa. Specjalnych newsów nie było. Wnuczek zaczął chodzić, pelargonie rosły, a firma po raz kolejny nie zrobiła planu. Nic dziwnego, jak raz go zrobiliśmy, to przyjechała kontrola z Londynu. Teraz plany na wszelki wypadek są tak wyśrubowane, żebyśmy nie mieli szansy na podobne ekscesy.

Ostatnie dziesięć minut poświęciłem bardzo interesującej praktykantce przydzielonej do zespołu VAT-u, która rozkosznie spędzała przedpołudnie, kserując decyzje izb skarbowych. Miało to jej prawdopodobnie rozszerzyć horyzonty. Nie do końca chyba pojęła zaszczyt, jaki ją spotkał, bo przy tym ksero ziewała, przestępowała z nogi na nogę i piła red bulla. Bez cukru. Ujęła mnie tym za serce, więc umiliłem jej chwilę. Dowiedziałem się, że skończyła prawo na UJ, przeprowadziła się do Wa-wy dwa lata temu, robi aplikację radcowską, mieszka na Żoliborzu razem z koleżanką, która jest blondynką, ale farbuje włosy na rudo. Co do planów zawodowych to chce pracować przez pięć lat przy podatkach, aby zarobić na mieszkanie (naiwniaczka). Jej facet został w Zielonej Górze, odwiedzają się raz na miesiąc i nie wie, co z tego będzie.

Ja też nie wiem. Zobaczę, jak się rozwinie sytuacja.

Odwiedziłem jeszcze kibel i rozkoszny niczym skowronek wróciłem do brojlera.

Gdzie powitała mnie FURIA.

I wściekła, i królewska, i malinowa.

– Czarny!!! Ty skurwysynu! – zasyczała.

– Olga, spokojnie – położyłem nogi na biurku.– Nie bluzgaj jadem. Co to dla ciebie? Trzaśniesz tę umowę w piątek, no, może sobotę... Ej no, zostaw ten segregator! Co chcesz z nim zrobić? – zaniepokoiłem się żywo. – Olga, jesteśmy dorośli, tak?!

– Wyłaź, kutasie, spod biurka! Ty egoistyczna, samolubna pseudoimitacjo mężczyzny! Dupo wołowa pozbawiona godności i czci! Ćmoku, czopie i mondziole! Ty... – Olga wyrzucała z siebie kolejne bluzgi z rosnącą satysfakcją – ...parówo!!! Nazwanie cię idiotą, byłoby obrazą dla głupich ludzi. Nosiłam sukienki z wyższym IQ, ale ty cały czas myślisz, że jesteś intelektualistą, prawda, małpo?!

„To chyba z *Rybki zwanej Wandą*", pomyślałem.

– Dziwkarski alfonsie!

A to jakiś neologizm?

– Impotencie!

– No, no, tylko nie impotencie – odezwałem się spod biurka.

– Jedyne, co potrafisz przelecieć, to klamka od drzwi – zawyła Olga. – Pomyśleć, że ja miałam cię za przyjaciela! Że kogo jak kogo, ale mnie nie zrobisz w jajo! Ty tani, kłamliwy skurwysynie! Oby ci odpadł, kanalio!!! Żebyś się pokrył parchami! Zabiję cię!!! Tak!!!

– Dobra, Olga, pożartowaliśmy, ale odłóż ten zszywacz!

– Nie odłożę!

– Po ci on?

– Przybiję ci fiuta do framugi, złamasie!!!

– Dobra, dobra. Nic się nie stało, tak? Jakbyś sama nie zrobiła nigdy niczego podobnego – wzniosłem oskarżycielsko palec spod biurka. – To w czym problem?

– W tym, że mam, idioto, że w sobotę mam imprezę w domu! Zaplanowaną! Z dawno zaproszonymi gośćmi!

– Wino można kupić przez internet! A do wieczora to się z tym spokojnie obrobisz.

– A żarcie?

– Też można przez internet!

– I samo się ugotuje? – zapytała słodko Olga.

– No dobra, pomogę ci z tą umową – przyznałem łaskawie.

– Jasne, że mi pomożesz! Co do tego nie ma wątpliwości – prychnęła Olga. – Ale, Czarny, przede wszystkim pomożesz mi z tym pieprzonym żarciem!

– Że… słucham?! Znaczy się, czy ty do reszty ocipiałaś?!

Olga podniosła ostrzegawczo do góry zszywacz.

– Czarny, kto mnie wkopał? Ty. Twoja nędzna pokraczna dupa we własnej osobie! To teraz się rehabilituj.

Spojrzałem w oczy żądnej zemsty Walkirii. Z całą pewnością nie dziewicy, bez włóczni i bez tarczy, ale oczy jej płonęły w cholernie bojowy sposób. Spojrzałem, przeanalizowałem jeszcze raz sytuację i się poddałem.

Mężczyzna po pewnym czasie uczy się, kiedy może wygrać z kobietą, a kiedy nie.

– Ile osób?

– Osiem – Olga zrobiła usta w ciup.

– Z tobą osiem?

– Ze mną to dziewięć.

– O, kurwa! – jęknąłem. – Tak dużo?

– Dwadzieścia to jest dużo. Tu jest nie aż osiem, ale tylko osiem.

– Wiesz, że z tym gotowaniem dla ośmiorga, przepraszam, DZIEWIĘCIORGA osób to będzie roboty na sześć godzin?

– Dlaczego dziewięciorga? To ty nie zostaniesz na kolacji?

– Po co? – zdziwiłem się.

– A jak to sobie wyobrażasz, przychodzisz, robisz jedzenie i wychodzisz?

– A co w tym złego?

– Wszystko. Jak to będzie wyglądało?

– Normalnie. Powiesz, że zamówiłaś catering, nie?

– Chyba na głowę upadłeś – Olga pokiwała z politowaniem głową. – Poza tym, Czarny, powiedzmy sobie szczerze: wisisz mi to. Tak? – Słowo „tak" zawisło w powietrzu. – Pobawisz gości. Masz czas. Weekend w końcu. Nie? – Słowo „nie" zawisło w powietrzu.

– Aha – stwierdziłem bez przekonania. – Czyli będę niby twoim chłopakiem. Bo głupio ci będzie, że wszyscy dookoła sparowani!

– Bingo! – Olga klepnęła mnie w czoło. – Bystrzak z ciebie.

– Wiesz co... Ja pogadam z Gustawem – powiedziałem z namysłem. – To na pewno da się jakoś odkręcić. Zrobię w sobotę na spokojnie tę umowę. Będzie git.

– Za późno, cymbale. Już się dogadałam z Gustawem. Ma mi dać ekstra dzień wolny. Ubierz się ładnie. Na przykład w tę czarną marynarkę. I błagam, nie zakładaj żadnej koszulki z napisem Armani, Dolce Gabbana, Boss czy coś podobnego. Wyglądasz w nich jak tani lowelas.

– Co ci się nie podoba w moich koszulkach? – oburzyłem się.

– Generalnie całość. Dziewczyny by pomyślały, że cię wyciągnęłam z jakiejś dyskoteki. Dobra, spadam.

Olga sięgnęła po torebkę i najzwyczajniej w świecie zamierzała opuścić pomieszczenie.

– Hej, nie zapomniałaś o czymś?

– A o czym?

– Kasa?! Znasz imprezę, która urządzi się za darmo?!

– Czarny, bądź dżentelmenem. Dżentelmeni nie rozmawiają z kobietami o pieniądzach. Poza tym, nie ma o czym rozmawiać, bo i tak nie mam kasy, a na karcie kredytowej jestem zgrana prawie do zera.

– *How? How? How?* Tydzień temu była pensja...

– Byłam w Arkadii – wyjaśniła dumnie.

– I? – Czekałem na ciąg dalszy.

– A później w Złotej Teresie. Tam mi się zeszło.

– Po cholerę ci tyle ciuchów?

– Bo o wiele ciekawiej jest, gdy przystojny, ciekawy i bogaty facet ściąga z ciebie sukienkę z Simple, a nie z H&M-u. I jakoś bardziej podjarana się czuję, gdy mam na sobie bieliznę Palmers, a nie Atlantic. I jakoś mi się wydaje, że pas do pończoch i pończochy o niebo bardziej działają na wyobraźnię niż rajstopy kupione w Tesco. Capito?

– Innymi słowy, chcesz powiedzieć, że zapłacę za sobotnią imprezę, żeby jakiś bogaty i przystojny facet miał dobre rżnięcie? – upewniłem się.

– Nie żeby on miał dobre rżnięcie. Żebym JA miała dobre rżnięcie, a to, mój drogi, jest różnica – wyjaśniła.

– Jasne. Przekonałaś mnie. Każdy Żyd się z tobą z chęcią ożeni.

– Pewnie, że tak. Dobra, Czarny – Olga zerwała się z miejsca, wirując przykrótką kiecką – spadam. Pamiętaj o sobocie!

– Spadaj – pozwoliłem łaskawie. – I miłego rżnięcia.

– Cham!

– Dziwka!

Rozdział 10

Kolacja

Motto:

MIĘKKIE FLETY – mężczyźni urodzeni po roku 1970. Ich ojcowie byli w stanie naprawić telewizor, położyć płytki w kuchni i naprawić bezpiecznik kawałkiem druta. Miękkie flety z trudnością wkręcają w domu żarówkę. W przypadku zapchanej rury odpływowej od umywalki wzywają fachowca. Przybicie półki zajmuje im minimum trzy tygodnie, poprzedzone kilkoma większymi i mniejszymi awanturami z dziewczyną/żoną miękkiego fleta. Niektóre miękkie flety, w przeciwieństwie do swoich ojców, gotują.

– Czarny, co ty tu robisz o tej posranej porze?

Olga, zaspana, stała w drzwiach. Ubrana w koszulkę na ramiączkach z Kaczorem Donaldem na biuście i coś, co przypominało kolarskie spodenki mojego ojca z lat sześćdziesiątych, tylko że w różowe. W oczach miała obłęd, a oczy pandy. Chyba nie zdążyła targnąć się do łazienki przed snem i skuć tapety.

– Ale o co chodzi? Co ty tu robisz? – powtórzyła. – Jest...?

Olga półprzytomnym wzrokiem usiłowała zerknąć na zegarek na nadgarstku, co było o tyle utrudnione, że nie miała tam żadnego zegarka.

– Która właściwie jest? – zapytała w końcu zrezygnowana.

– Dziewiąta rano. Wiesz, co to oznacza? Że ja wstałem o siódmej i spałem cztery godziny. Masz kawę.

Wręczyłem jej plastikowy kubek ze Starbucksa. Wzięła go, jakbym jej podawał węża. Odruchowo zrobiła wpierw krótki łyk, a później dłuższy. Przy drugim, oczy jej się nagle rozszerzyły. Jej lalkowata twarz potwornie wygięła się na boki, jakby spróbowała kwasu solnego z domestosem. Zaczęła kaszleć. A później charczeć. Obserwowałem rozwój wypadków z pewną satysfakcją. Olga zaskrzeczała. Przez moment myślałem, że się udławiła. W ułamku sekundy przypominałem sobie podstawy pierwszej pomocy. Jak się robi Heimlicha? Powinienem stanąć z tyłu i wcisnąć pięść między pępek a żebra i ucisnąć przeponę? Chyba tak? A co, jeśli to nie poskutkuje? Chwycić za nogi i potrząsnąć?

Olga w końcu się przemogła. Przełknęła kawę i ze zgrozą wrzasnęła:

– Ja pierdolę! Czarny, co to jest?! Kwas solny?

– No. Z domestosem.

Olga, stwierdzam ze smutkiem, nie złapała błyskotliwej riposty.

– Poczwórne espresso z odtłuszczonym mlekiem. Latte w wersji light. A, i sześć porcji cukru. Ale brązowego – zaznaczyłem. – To z troski o twoją figurę. Spójrz na mnie! Wypiłem i jestem żywiutki. I ogonem macham. I pazurami drapię. Gdzie dorwałaś taką koszulkę z Kaczorem Donaldem? Byłem przekonany, że sypiasz w jedwabiach z Palmersa. Ściągnęłaś może ostatni odcinek House'a? Bo zapomniałem zapłacić za kablówkę i mi operator odciął łącze. Gdzie masz tę kuchnię?

Olga stała w milczeniu. Zgarnąłem z wycieraczki torbę, w której normalnie dźwigałem graty na siłownię. Z torby elegancko wystawał seler naciowy i dorodna marchewka.

Olga ciągle stała niczym heteryk na gejowskiej imprezie, czyli bez sensu. Chyba nie mogła zaczerpnąć tchu.

– Hello! Jest tam kto? – zapytałem w końcu zrzędliwie. – Kuchnia. Mam ci to caps lockiem PUŚCIĆ?!

– Jesteś sadystą. Może i, Czarny, drzemią w tobie jakieś ludzkie odruchy, ale tu – Olga wskazała na kawę – przebija przez ciebie sadyzm.

– Kuchnia?! – wrzasnąłem.

– Tam. Prosto. Nie! Prosto, a później idź na prawo.

Olga spróbowała kawy po raz drugi. Tym razem ostrożniej i jakby ze wstrętem. Jęknęła: – Dlaczego tak mnie krzywdzisz? Miej litość, zabij mnie od razu!

– Pij kawę. Będzie lepiej. Mówiłem ci, mnie pomogła. To co z tym Housem? Masz go?

– Nie chcę kawy. Chcę spać! Spać! Spać! Spać! Rozumiesz? Inaczej będę miała osobowość Katie Price. A od twojej kawy jej górne jedynki.

– Wpuścisz mnie w końcu? Przypominam, to nie ja chciałem spędzać sobotę w twojej kuchni. Prawda?

Olga, rada nierada, niechętnie się przesunęła, robiąc ze dwadzieścia centymetrów wolnego miejsca między sobą a framugą.

– Wchodź.

– Jak już tu przylazłem, to pewnie, że wejdę.

Olga mieszkała przy pasażu niedaleko metra Stokłosy i sklepu z kangurem. Co widziała w Ursynowie? Pytałem kilka razy, ale nie dostałem przekonującej odpowiedzi. Ursynów to bloki. KEN. Multikino. Las Kabacki. I metro. I właściwie koniec. Dużo szarego betonu, a dookoła wielka płyta. Witamy u słoików. Chcesz zrobić przykrość komuś z Żoliborza, to każ mu się przeprowadzić na Ursynów. Ogromna betonowa wieś, a w mieszkaniach telewizory z prognozą pogody.

Długo tak mogę? Długo.

Jak mały Dyzio chce prowadzić światowe życie, to płaci dwanaście tysięcy za metr kwadratowy i kupuje mieszkanie na Kabatach z widokiem na Tesco. Może przynajmniej robić zakupy dwadzieścia cztery godziny na dobę.

Może być Sadyba. Może być Wilanów. Na Wilanowie mieszkają słoiki, których nie stać na Ursynów. Trzy miesiące temu odwoziłem tu chwilową słabość. Wiek? Nie wiem. Poniżej dwudziestu pięciu, tak na oko. Włosy ciemny blond. Trochę poniżej ramion. Coś tam powyżej stu siedemdziesięciu centymetrów wzrostu, spódniczka krótka, znaków szczególnych brak. Niezły tyłek.

To od biedy może być znak rozpoznawczy.

Przejeżdżamy obok pałacu. Aby podtrzymać rozmowę, mówię: „O, pałac Wilanowski!".

– No, mój były facet zabierał mnie tu do fajnej knajpy – usłyszałem.

– Sobieskiemu, jak tu mieszkał, to pewnie przynosili żarcie do łóżka – błysnąłem.

– Sobieski? On tu mieszkał?

– Taak – powiedziałem ze zdziwieniem.

– Ten koleś od fajek? – upewniła się.

– No. I od wódki.

Co to za apartamenty, gdzie na osiedlu masz dwa metry do okna sąsiada i sam beton.

Kobiety lubią rzeczy. Olga lubiła mieć różowe ściany, które w kobiecej wizji świata nazywają się łososiowymi. Lubiła też mieć plakaty z Audrey Hepburn na ścianie.

Większość kobiet w okolicach trzydziestki ma na ścianie plakat Marilyn Monroe albo Audrey Hepburn. Ma to podkreślać ich skomplikowaną osobowość.

Te od MM są chaotyczne, popieprzone i wiecznie nieszczęśliwe. Oczywiście szukają miłości. Oczywiście, nawet gdy ją znajdują, po chwili zostają samotne. Często ryczą, mają też skłonność do tanich dramatów. Typ artystowski.

Potrafią pokazać zofię w miejscu publicznym.

Facet, widząc u swojej wybranki plakat MM, powinien wytarmosić ją na trawniku przed domem albo na klatce.

A później spieprzać w podskokach.

Te od AH to typ „panna euforia–depresja". Kiedy jest dobrze – jest dobrze. Kiedy jest źle – jest bardzo źle.

Są bardziej normalne od typu MM, toteż mężczyźni częściej wybierają je do stałych związków.

Oczywiście Olga miała żyrandol z kryształów w przedpokoju i mogłem się założyć, że jak wejdę do łazienki, znajdę tam od cholery świeczek i baterię kremów na cellulit od różnych producentów. Wiem, bo bywałem już w wielu takich łazienkach.

Kuchnia była w stylu wiejsko-prowansalskim. Biała komoda, blat z ciemnego drewna, piekarnik wyglądał, jakby Olga go rąbnęła od mojej babci ze strychu, tyle że kosztował równowartość dwóch średnich krajowych.

Rolety rzymskie na oknach, starodawny albo po prostu przestarzały, i w cholerę przerdzewiały dzwonek z Koła, przezroczyste karafki, dużo butelek po oliwie (po jaką cholerę, to nie wiem, bo Olga się skrajnie brzydziła gotowaniem), i krzesła z rattanu. Na te krzesła to już były potrzebne dwie średnie, ale prawnicze. Olga zbierała na nie kilka miesięcy i była z nich cholernie dumna.

Rzuciłem ponuro torbę na ekskluzywne krzesło. Zazgrzytało. Ja też. Zębami.

Spraw się szybko, szybko będziesz w domu i obejrzysz sobie *Szklaną Pułapkę 4*. A jak dobrze pójdzie, to może nawet wrzucisz *Szeregowca Ryana*. „W końcu raz na tydzień należy ci się od życia", pocieszyłem się. *Go! Go! Go!*

Wyjąłem z torby marchewkę i zgrabnym ruchem wrzuciłem ją do zlewu. Również ekskluzywnego jak jasna cholera. Ile kosztował, nie chciałem wiedzieć. Marchewka wylądowała w zlewie z głuchym stukotem. Brzdęęęęęęk. Dwa punkty, Gortat został sfaulowany i staje na linii rzutów wolnych!

Olga wpadła do kuchni z takim impetem, jakby jej tyłek napędzany był v power sto oktanów do silnika z podtrzymaniem turbo.

– Czarny, co ty, kurwa, robisz? – szczeknęła. Wiesz, ile kosztował ten zlew?

– Właśnie... – zacząłem, ale nie było mi dane skończyć.

– Trzy tysiące za niego dałam! Oszczędzaj go, do jasnej cholery!

– Właśnie tej wiedzy chciałem uniknąć – mruknąłem. – Gdzie masz deskę do krojenia?

– Nie mam.

– Dobra, pokroję na blacie.

– Chyba cię, Czarny, pojebało!!! Ja ci łeb prędzej odkroję! Wiesz, ile kosztował ten blat?!

– Olga, do czego ty kupiłaś kuchnię? Do gotowania czy do oglądania?

– Pewnie, że do oglądania. Widziałeś, żebym kiedykolwiek gotowała?

– Punkt dla ciebie. Ale ja mam zamiar. I uważaj, istnieje możliwość, że nawet poplamię tłuszczem kuchenkę. Albo, to już będzie śmiertelnie niebezpieczne, WYKIPI MI, KURWA, WODA!!!! Uuuuu.

– Masz serwetę. I WYCIERAJ!

– A na czym mam kroić? – zamarudziłem.

– Talerz sobie weź!

– To ty nie używasz jednorazowych plastikowych? – zdziwiłem się. – Wiesz, nie musiałabyś używać zlewu. Dłużej byłby nowy. Może go zresztą folią przykryj?

– Talerz, tak?! Kroimy na talerzu. A ja idę spać! Jak coś spierdolisz, to ci wyrwę serce.
– Masz inne hobby niż czysta kuchnia?
– Tak.
– Jakie?
– Czysta łazienka.
– A masz tarkę do sera?
– Co?
– Tarkę do sera. Nie musi być od razu do parmezanu. Zwykła wystarczy.
– ???
– Dobra, idę na zakupy – westchnąłem.
– Weź klucze. I nie zawracaj mi głowy, żałosna parodio mężczyzny. Ooo, powiedziałam to na głos?
– Dawaj te klucze, alkoholiczko w średnim wieku. Ooo, powiedziałem to na głos?

Godzinę i czterdzieści pięć minut później pojawiłem się u Olgi, dysząc ciężko. Spocony jak świnia. W międzyczasie przebiłem się przez dzikie tłumy w trzech sklepach, raz stałem w kasie dla kobiet w ciąży, raz przejechałem po ciągłej i dwa razy na mocno pomarańczowym. Na oko ze dwadzieścia punktów i tysiąc złotych.

W łapach miałem dwie gigantyczne torby. Wróciłem z drewnianą deską z bambusa (nie łapie wody i tak nie śmierdzi, bardzo dobra sprawa), sześcioma rolkami papierowych ręczników, którymi miałem zamiar zabezpieczyć całą kuchnię, normalną tarką do sera, na której chcę zetrzeć gruyère'a, i tarką do parmezanu. Tę ostatnią, nawiasem mówiąc, kupiłem bardzo tanio, bo na przecenie. Vileroy & Boch – sto dwadzieścia zeta. A poprzednio kosztowała dwieście pięćdziesiąt! Okazja jak nic. Zastanawiałem się też nad szatkownicą do mango za jedyne pięć dych, ale po namyśle stwierdziłem, że ostatnio mango jadłem na Krecie cztery lata temu, więc byłoby to ostre przegięcie.

Zaobserwowany współczynnik wkurwienia u mijanych w centrum mężczyzn zabranych przez kobiety na zakupy w sobotnie przedpołudnie: dziesięć. Do tego większość miała krok zombie i podkrążone oczy po piątkowych imprezach. Z ulgą zalegali na ławkach w centrum, chłepcząc colę i żrąc fryty.

Olga? Spała. Snem kamiennym. Jak lekarz po czterdziestoośmiogodzinnym dyżurze.

Z torby z siłowni wyjąłem nóż szefa kuchni, który trzymałem w specjalnym futerale. Nikomu innemu nie pozwalałem nim kroić. Nóż kucharski to jak nożyczki u fryzjerki. Przyzwyczaja się do ręki.

Do noża dodałem turystyczną lodówkę. Normalnie służyła do przenoszenia piwa, ale skrzydełka kurczaka, pałki kurczaka, nogi kurczaka i piersi kurczaka też się w niej dobrze zmieściły. Kurze ścierwo rzuciłem na kupę do drogocennego zlewu. Miałem w dupie, czy poczuł się zdesakrowany.

Umyłem zdechlaka, a właściwie kilka, strumieniem zimnej wody. Otworzyłem szafkę przy kuchence, szukając garnka. Zajrzałem do środka. Garnka nie było. W środku była za to miska.

Gdzie, do nędzy, trzymasz garnki, kobieto?!

Zaniepokoiłem się.

Prawidłowe pytanie w tej sytuacji powinno chyba brzmieć: czy ona ma w ogóle jakieś garnki??? Garnek? Tu-tu-tu? Ko-ko-ko? Gdzie jesteś? Ko-ko-ko? Kici-kici?

Pięć minut później garnka nadal nie było.

– Dobra, w sumie to na razie może być i miska– wzruszyłem ramionami.

Zalałem miskę wodą. Wrzuciłem kopiastą łyżkę soli. I dorzuciłem truchło. Niech się pomoczy ze dwie godziny.

Zmięknie. W końcu z akumulatorem na jajach... Co wy tam palicie? Ja kury, ale Franz ma lasagne, jeśli pan porucznik ma ochotę.

Znowu torba. Wyjąłem dwa opakowania trochę już rozmiękłego szpinaku Frosty, piętnaście deko gruyère'a, piętnaście deko parmezanu, jedną dwudziestodwuprocentową śmietanę Danone'a, pieprz w młynku, sól morską w młynku, opakowanie płatów lasagne, małą butelkę oliwy, główkę czosnku. I opakowanie ricotty. Wszystko? Nie – jeszcze folia aluminiowa i masło, bo znając życie, to Olga pewnie nie ma masła.

Patelnia? Teraz wystarczy znaleźć patelnię. Rozejrzałem się dookoła. Wymyślności było znacznie więcej niż, dajmy na to, patelni, łyżek, widelców, i garnków.

Co jak co, ale garnka i patelni nie będę kupował – postanowiłem stanowczo.

Dobra – idziemy drażnić żmiję. Do drażnienia żmij potrzebna jest woda plus Alka-Selzer. I kij. Rozrobiłem Alka-Selzer w wodzie. I westchnąłem ciężko.

Idąc do sypialni Olgi, starałem się robić jak najwięcej hałasu. Z każdym krokiem było ciekawiej. Minąłem trzy Muchy wiszące na ścianach, bezładnie rzuconą sukienkę, bezładnie rzucone szpilki – jeden but miał oderwany obcas – torebkę, chyba pończochy, klucze i gumy do żucia. Drzwi były uchylone. Generalnie, pachniało kobietą.

– Anybody?! Oooolga – powiedziałem półgłosem. – Żyjesz?! – To już było ciut głośniej.

Pchnąłem drzwi. Zaskrzypiały jak cholera. W środku stało łóżko. Na łóżku leżała Olga. Nadal w spodenkach kolarskich i w koszulce z Donaldem. Na głowie miała poduszkę. W objęciach trzymała wielkiego jak krowa łosia z Ikei. Na nocnym stoliku była butelka po coli – też rozmiar magnum.

– Olgaaaaa?

Nic.

– Olgaaaaaaaa!!!

Nadal nic.

Nadszedł czas na bardziej radykalne środki. Podszedłem do Olgi i połaskotałem ją w stopę. Dalszy ciąg wydarzeń mnie nie zaskoczył. Olga zabulgotała i targnęła nogą. Imponujące – moje jaja minęła o jakieś trzy centymetry. Znów zabulgotała. Przez grzeczność udałem, że słów zaczynających się na: „ty ch...", „sk..." i „pies ci mordę lizał" nie usłyszałem, ewentualnie nie zrozumiałem, co na to samo wychodzi.

– Już?

Olga rzuciła we mnie poduszką.

Uchyliłem się.

– Czego? – warknęła.

– Patelnię gdzie masz?

Nic. Jakbym czosnkiem o ścianę rzucał. Trzeba próbować dalej.

– O której wróciłaś?

– Dawaj poduszkę!

Podniosłem poduszkę. Podałem Oldze. Przykryła głowę poduszką. Przez moment myślałem, że to koniec audiencji. Odczekałem jeszcze sto dwadzieścia sekund.

– O czwartej? Piątej? Jezus Maria, jak mnie głowa boli...

– Masz – podałem jej opróżnioną do połowy butelkę wody.

Olga spojrzała bardzo nieufnie.

– *Easy, my girl*. Woda – powąchałem. – Rozrobiona z Alka-Seltzerem. Patrz, piję. – Łyknąłem i podałem jej butelkę. Wziąłem długi konkretny łyk. – Lekarstwo. Zatwierdzone przez Instytut Matki i Dziecka. Pij. Będzie lepiej.

– Zostaw mnie – załkała. – Chcę umrzeć!

– Gdzie się szlajałaś?

– Nie wiem. Wiem, że było czerwone wino. Dużo czerwonego wina. I tańczyłam gdzieś. Długo tańczyłam. I zgubiłam komórkę. Albo ktoś mi ją ukradł. Nie wiem. Mooooja głowaaaa – zawyła Olga. – I złamałam obcas w szpilkach!

– No i?

– Kochałam te szpilki!!! Dobrze, że kluczy od mieszkania nikt mi nie zarąbał.

– Coś ten tego?

– ???

– Iją, iją – wydałem z siebie imitację skrzypiących sprężyn w łóżku.

– Nie!!! Czy dla ciebie każda kobieta się puszcza?!

Skrzywiłem się głupio.

– Wiesz, czysta semantyka. Niewierny równa się religijny odszczepieniec. Ale niewierna równa się dziwka.

– Dla twojej informacji, z całego naszego biura, to ty jeden nie jesteś w stanie wytrzymać weekendu bez zakładania lateksu. Byłeś w stanie kiedykolwiek osiągnąć z kobietą jakąkolwiek relację poza trzymaniem łap na jej cyckach?

– Tak, kiedy trzymałem ręce na jej tyłku.

– Cham! Spadaj do kuchni i daj mi spać.

– Dobra, dobra. Strasznie jędzowata jesteś na kacu... Czemu znów rzucasz we mnie poduszką?

Olga podniosła się na łokciu, oczy zalśniły jej niczym chryzoberyle i wrzasnęła:

– WON!

– Se pójdę, tylko mi powiedz, gdzie patelnia jest. I ze dwa garnki.

Zapadła cisza. Olga kalkulowała, jak widać, czy zgodnie z odruchem serca powiedzieć, abym spierdalał, czy jednak, słuchając rozsądku, udzielić odpowiedzi na pytanie, bo będę tak długo mędził, aż garnki dostanę. Zwyciężył racjonalizm.

– W szafie w kartonach – powiedziała w końcu niechętnie. – No, co się tak patrzysz? Matka mi dała w prezencie. Nie używam, to jeszcze nie rozpakowałam. Będziesz pierwszy. Mężczyźni lubią być pierwsi. Sio! – machnęła łapą.

Wyszedłem. Co będę z wariatką gadał. To poniżej mojej godności.

W szafie znalazłem trzy garnki. Z przyjemnością stwierdziłem, że matka Olgi, w przeciwieństwie do swej córki, znała się na gotowaniu i garnki kupiła dobre. Chińszczyna z Ikei, ale całkiem niezła.

„Dobra, robimy lasagne", pomyślałem. Nalałem sobie obowiązkowy składnik do lasagne, czyli kieliszek białego wina. Przy gotowaniu człowiek się poci. I męczy. Musi więc jakoś się pokrzepić. Wziąłem paczkę szpinaku Frosta – serduszka. Bliski zamiennik świeżego, ale po pierwsze świeżego nie było, a po drugie przy świeżym trzeba się pomęczyć, a i tak znajdzie się ktoś, kto powie, że liście za mało są pokrojone.

Odpaliłem zabytkowy piekarnik Olgi na full. Patelnia na fajerę. Polałem ją konkretnie oliwą. Wziąłem dwa ząbki czosnku i zmiażdżyłem je nożem. Na desce. Obrałem czosnek ze skóry. Otworzyłem opakowanie szpinaku nożem, cudem się przy tym nie raniąc. Po raz kolejny obiecałem sobie, że następnym razem wezmę do tego nożyczki. Oliwa rozgrzała się już konkretnie. Wrzuciłem do niej na moment czosnek. Nie mógł w niej być za długo, inaczej przypaliłby się, a szpinak smakowałby jak zmieszany z żelazem. Potrzymałem czosnek przez chwilę na ogniu. Wyjąłem skubańca. Przyda się później.

Wrzuciłem mrożony szpinak na patelnię. No dobra, mrożony to on był jakieś pół godziny temu, a i wtedy już niezupełnie.

– Nigella, Nigella, czy ty kochasz mnieeeeeeeee! – zawyłem. Dla bezpieczeństwa po cichu.

Daję słowo, gdyby była o dwadzieścia lat młodsza, nie była żonata z Charlesem od Saatchi & Saatchi, to bym pakował torby i bukował bilet do Wielkiej Brytanii.

Otworzyłem opakowanie ricotty. Obejrzałem z dumą wypasioną tarkę do parmezanu, a następnie starłem na niej parmezan. A później gruyère'a, który strasznie się paprał, ale w jego przypadku to normalne. Sery wrzuciłem z wdziękiem do gara. Częściowo. Trochę zostawiłem, aby z wierzchu posypać lasagne. Łyknąłem z kieliszka potężną dawkę wina, po czym uśmiech znacząco mi się powiększył i nawet zacząłem gwizdać. Odpaliłem na telefonie na pełny regulator Jamala. Dzień zaczynał się rozkręcać.

Zestawiłem patelnię z ognia. Wrzuciłem szpinak do gara z serami, rozchlapując co nieco dookoła, ale to gotowanie, a nie laboratorium. Zakręciłem łyżką w garnku, mieszając szpinak z serami. Starłem szczyptę soli morskiej, wycisnąłem przez wyciskarkę podpieczony czosnek, dodałem też pieprz. Zamieszałem wszystko, wsadziłem paluch do środka i spróbowałem. Niezłe.

Dodałem tam jeszcze łyżkę gęstej, dwudziestodwuprocentowej śmietany Danone'a. Nalałem sobie trzeci kieliszek wina. Butelkę, już pustą, wyrzuciłem do kosza na śmieci.

– Czy ty musisz tak hałasować??? – w drzwiach stanął Kaczor Donald. – I pić od samego rana – spojrzała na kieliszek.

– Kwa, kwa, kwa. Nalać ci też?

– Nieeee. Idę się kąpać – Olga zlustrowała malownicze smugi szpinaku na kuchence i blacie. – I posprzątaj ten syf, dobra?

– *Jawohl, herr Adolf. Arbeit macht frei! Ja!*

– Spieprzaj!

Kaczor zawinął się, kręcąc tyłkiem. Postawiłem garnek napełniony wodą na full na największym palniku. Rozkręciłem go. Garnek przykryłem pokrywką. Rozłożyłem sobie grubo papierowy ręcznik. Posoliłem wodę w garnku i dodałem trochę oliwy. W oczekiwaniu, aż woda się zagrzeje, sprawdziłem pocztę na telefonie i umówiłem się na kosza z Ufem.

Posmarowałem grubo masłem przywiezione z domu ceramiczne naczynie, a na jego dnie rozsmarowałem trochę szpinaku. I wrzuciłem do wrzącej wody trzy płaty lasagne do obgotowania. Towarzyszył mi łoskot prysznica, pod którym Olga uprawiała poranne ablucje. Znając kobiety, a Olgę w szczególności, szykowanie się do imprezy zajmie jej jakieś cztery godziny. Ja tymczasem po trzech minutach wyjąłem z garnka płaty lasagne. Osuszyłem je papierowym ręcznikiem. I wrzuciłem do garnka kolejne trzy płaty. Ułożyłem makaron w naczyniu. Przykryłem je szpinakiem. I tak razy trzy.

Otarłem pot z czoła. Lasagne posmarowałem na wierzchu szpinakiem i posypałem resztką sera. Całość przykryłem folią aluminiową. Prysznic się skończył. Olga musiała przejść do następnego etapu – wycierania.

Przyjdzie czas, to się lasagne wrzuci do pieca. *Burn, baby, burn.*

Teraz zdechlak. Wymieszałem dwa jajka, trochę mleka, paprykę, sól, pieprz i curry. Na drugi talerz wrzuciłem mąkę, bułkę tartą i trochę rozmemłanych płatków kukurydzianych. „Mdły będzie ten kurak", pomyślałem. Może chili? Rozejrzałem się nerwowo dookoła i ku swemu zdumieniu zobaczyłem, że Olga ma całkiem przyzwoity zestaw przypraw. Może dlatego, że mogła je powsadzać w białe, zdobione lawendą pojemniki.

Nic to.

Dorzuciłem chili. Mało. Dorzuciłem jeszcze trochę, a do jajek wpadło mi z pół zawartości słoika.

Przez moment się zawahałem, czy nie rozrobić kolejnego jajka, ale w końcu wzruszyłem ramionami. Po pijaku i tak wszystko zeżrą.

Pozbierałem z grubsza to, co się wysypało, i energicznie zakręciłem w naczyniu widelcem.

Kurę wymazałem wpierw w mące z bułą, a później wrzuciłem w jajo z przyprawami i znowu w mąkę z bułą. Miało być jak w KFC, więc powtórzyłem manewr. Nalałem do gara oleju, mniej więcej do jednej trzeciej pojemności, tak aby cały ptak mógł się schować. Odstawiłem na bok. Kiedy przyjdzie co do czego, olej się rozgrzeje, a zdechlaka wrzuci się do środka. No to co? Jakaś pasta by się przydała?

– I jak ci idzie – Olga wlazła do kuchni. Się nagle zainteresowała.

– Dobrze.

– To znaczy?

– Dobrze.

– Czy ty nie możesz powiedzieć normalnie, jak człowiek?

– Idzie mi, kurwa, dobrze!!! Co mam ci to szlaczkiem napisać? – zirytowałem się.

– Z tobą to się nie da o niczym pogadać –stwierdziła autorytatywnie Olga.

– Bo taki pojebany jestem. Coś jeszcze?

– Nie masz może piwa?

– Klinik, ha? Kaczor cię męczy – uśmiechnąłem się złośliwie.

– Dobrze się czujesz? Nawet kropli nie byłabym teraz w stanie wziąć do ust. Do włosów potrzebuję – wyjaśniła.

– A skąd ja ci mam wziąć piwo? Co ja browar niby jestem?

– Ze sklepu. Byłeś w sklepie, nie? MATOLE!

– Nie po piwo, kobieto. Gdybyś miała w domu tarkę do sera, to nie musiałbym jeździć. A poza tym, jak można nie mieć w domu deski do krojenia?

– Jak widać można. Dawaj oliwę.

– Po co ci oliwa? – zdziwiłem się.

– Podgrzeję z cytryną i nałożę na włosy.

– Bleeeeeee.

– Będziesz tu rzygał? – Olga wyraźnie się zaniepokoiła. – To idź do kibla. Bo mi meble pobrudzisz!

– Bleeeeeeeeeeeeeeee.

– Idę. Z tobą nie można normalnie porozmawiać. Masz maniery czterolatka.

– Powtarzasz się.

– Podgrzej mi tę oliwę, klocu.

– Mocno?

– Lekko. Wyciśnij do niej sok z cytryny i przynieś mi do łazienki.

Podgrzałem oliwę. Przelałem do kubka. Kubek miał fotę Golden Gate w SF. Zadumałem się chwilę nad tym, czemu jestem tutaj, a nie w Kalifornii. Wycisnąłem do kubka całą cytrynę – bo zamyślenie nie prowadziło do jakichś spektakularnych wniosków. Polazłem do łazienki. Zamknięte. Para bucha spod drzwi. Walnąłem mocno dłonią w drzwi.

– Halo. Masz tę oliwę.

– Właź.

Olga otworzyła drzwi. Łazienka była cała biała. W sensie, mozaika była biała, ściany były białe i sufit też był biały. Olga pochylała się nad wanną (białą), eksponując tyłek (niezły i szczupły) i stringi (czarne, chyba dla kontrastu).

Stanik też miała czarny. W sumie całkiem niezłe ciało. Nogi długie. Brzuch płaski. Bordowe paznokcie u stóp.

Myła włosy. Uniosła głowę znad wanny.

– Dawaj.

Wręczyłem jej do ręki kubek. Z wyjściem jakoś się nie spieszyłem.

Ileż to kobieta czasu musi spędzić, aby doprowadzić się do stanu używalności społecznej. Oskrobać, omalować, owcierać, owycierać, owyrywać, ogolić, oprzebierać, omalować. Było omalować.

Olga znowu pochyliła się nad wanną. Tyłek, jak wspominałem, też był niezły.

– I co się gapisz na mój tyłek? – Olga przerwała mi kontemplację.

– Eeee, żebyś ty jeszcze cycki miała – westchnąłem ciężko.

– A ty odrobinę klasy – prychnęła.

Olga skropiła głowę oliwą i zaczęła ją wcierać we włosy. Po chwili założyła na głowę foliowy beret i przykryła to wszystko ręcznikiem.

– A ty na co czekasz? Do garów! I możesz mi przynieść kieliszek wina – stwierdziła łaskawie.

Wycofałem się pośpiesznie, zastanawiając się nad radosną różnorodnością przekazu u kobiet, które rano mówią „nie", po południu „tak", a wieczorem „nie wiem". Kwestia była zbyt egzystencjalna jak na mój stan (znaczy się byłem zbyt trzeźwy). Otworzyłem więc kolejną, w sensie drugą, butelkę.

Napełniłem kieliszek wielkości wiadra do pełna. W butelce została trochę ponad połowa zawartości. Zaniosłem szkło pod drzwi łazienki i wrzasnąłem:

– Winooo!

Wróciłem do kuchni. Nalałem sobie trochę. Popatrzyłem na butelkę i kieliszek. Żal mi się zrobiło samego siebie. Dolałem więc do pełna.

Miała być pasta? Może jednak wpierw zrobię brownies? Zacząłem więc rozpuszczać czekoladę, *et cetera*. Ot, trzy kwadranse później ja miałem gotowe brownies, a Olga zrobione włosy i właśnie przystępowała do wyrzucania z szafy wszystkich ubrań. Pół godziny później ja kończyłem robić sos do carbonary, a Olga zredukowała liczbę sukienek, w których potencjalnie mogła wystąpić – do pięciu.

– Czarnyyyyyy!!! Chodź zobaczyć, jak wyglądam! – usłyszałem.

– Przepraszam, kochanie, tatuś cię kocha, ale bardziej kocha sos do makaronu, który nie może się zwarzyć – odwrzasnąłem.

– Czarny!!!

Krzyk dobiegał z przedpokoju.

– Czarny!!! – Tym razem odnotowałem w nim pewne nuty wkurwu.

– Dobra, dobra. Idę. – Posłusznie zdjąłem z palnika sos.

Olga pozowała w czymś, co było czarną kiecką pokazującą całe nogi i spore fragmenty tego, czego nie miała, czyli biustu.

– I jak? – zapytała.

– No okay.

– Tylko okay?

– A co ma być?

– Padasz z wrażenia?

Zachowałem pokerową twarz.

– Sos. Zwarzy mi się, do nędzy!

Wróciłem do kuchni. Nastawiłem piekarnik. Poczekałem, aż się podgrzeje do dwustu stopni. Wstawiłem do piekarnika lasagne i zacząłem podgrzewać olej na pieprzonego kuraka.

Minęło pięć minut.

– Czarnyy!!!

– No?
– Chodź tutaj. Zobaczysz tę kieckę!
– Olej grzeję – odwrzasnąłem.
– Chodź!!!
– Masz chore myśli, kobieto!

Olga dla odmiany pozowała w czymś, co było czarną kiecką pokazującą całe nogi i spore fragmenty tego, czego nie miała, czyli biustu.

– No i? – spojrzała z ewidentnym wyczekiwaniem.
– Super – odpowiedziałem. – Mogę już iść?
– Czyli to jeszcze nie to?
– Jest super.
– Na pewno?
– Olej mi się przypali – stwierdziłem ponuro.
– Idę się przebrać – mruknęła Olga.

Odwróciłem się na pięcie i wróciłem do kuchni. Tym razem zdążyłem zastanowić się, w jakiej kolejności wrzucać kurę do oleju, gdy usłyszałem... Już wy wiecie, co ja usłyszałem.

Jak dla mnie Olga pozowała w czymś, co było czarną kiecką pokazującą całe nogi i spore fragmenty tego, czego nie miała, czyli biustu.

Przyszedłem z łyżką w ręce.

– Czy nie uważasz, że wyglądam w tym grubo?

Wyszedłem bez słowa.

– Pytałam o coś!!!
– Oooo, denerwujesz się, bo tatuś nie kupił ci kucyka – wrzasnąłem z kuchni.

Pół godziny później Olga wlazła do kuchni. Postęp był. Miała pończochy, CZERWONĄ kieckę pokazującą te pończochy i cycki, których nie miała.

– To co, ja się umaluję jeszcze, a ty już kończysz, nie? – zaćwierkotała.

Tweet! Tweet!

– Jak się będziesz malować z godzinę, to skończę, jasne – przyznałem łaskawie.

– To ty jeszcze chcesz siedzieć w tej kuchni przez godzinę? – zdziwiła się Olga. – O dziewiętnastej ludzie przychodzą!

– Po pierwsze, to nie chcę, ale muszę. Po drugie, mieli nie przychodzić o dziewiętnastej, ale o dwudziestej. Jak są wcześniej, to ich problem. A po trzecie, co za różnica? Nawet w restauracji trzeba czekać na żarcie. To poczekają, schleją się trochę, będzie im lepiej smakować, nie?

– Ale ja chciałam, żebyś poznał moich przyjaciół – powiedziała Olga z wyrzutem.

– To poznam. Później.

– Tylko proszę, nie gadaj cały czas o seksie. Żadnych dup, które przeleciałeś, żadnych wzwodów, żadnych lasek, żadnych opowieści o kumplach, którzy zdradzają swoje żony. Moich przyjaciół NIE INTERESUJE twoje życie seksualne, jasne?

– A czy ja mam zamiar się im zwierzać?

– Zawsze zaczynasz pieprzyć jakieś dyrdymały. Więc dziś tego nie rób, okay?

– Okay, okay – zamruczałem.

– Tylko mnie nie zawiedź!

– Nie wiedziałem, że już mieliśmy dziesiątą rocznicę ślubu.

– Co???

– Nic, nic. Idź się maluj, ja wracam do kuchni.

– Chyba nie przywitasz gości w tych spodniach – spojrzała krytycznie na moje nogawki.

– A co z nimi nie tak? – podążyłem wzrokiem w tym samym kierunku. Fakt, do jednej nogawki przyczepił się kawałek szpinaku. Strzepnąłem go jednym płynnym ruchem.

– SĄ BRUDNE! I miałeś się ubrać normalnie!

– To jest normalnie. Zresztą, bez przesady. Podczyszczę je i będzie dobrze – pogłaskałem dżinsy po bardziej zainfekowanych miejscach.

Oto wzorowy kur domowy. Wstawiłem lasagne do piekarnika. Usmażyłem kurę. Wypiłem jeszcze dwa kieliszki wina. Czułem się już nieco nastukany, bo od rana opędzlowałem jak nic z półtorej butelki. W głowie zaczynałem czuć miły szumek i było mi już wszystko jedno. Poszedłem do klopa. Wziąłem szybki prysznic. Wpierw zimny, później lodowaty. Kiedy poczułem, że nie jestem już w stanie wytrzymać nawet pięciu sekund, zacząłem odliczać do dwudziestu.

Osiemnaście, dziewiętnaście, dwadzieścia, wyrzucałem z siebie w szaleńczym tempie, napierając nerwowo na kurek z wodą. Nie żebym był trzeźwy – mój mały skurczył się do poziomu fistaszka – ale w każdym razie byłem ciut bardziej trzeźwy. Na szczęście w torbie miałem zapasową koszulkę. A&F. Model muscle. Bliski odpowiednik push-upa dla kobiet. Założyłem ją zgrabiałymi łapami. Ot, potęga marki. Jak kobieta na dupę założy stringi od Palmersa, to choćby na zewnątrz miała workowaty kostium i tak będzie się czuła sexy. Ja założyłem koszulkę A&F i zgodnie z filozofią marki poczułem, jak moje oczy stają się bardziej błękitne, rosnę o co najmniej cztery centymetry, a pod nosem wyrasta mi faszystowski wąsik à la Adolf.

Nałożyłem krem pod oczy, krem matowy na ryj i wylazłem z łazienki.

– No, nareszcie – Olga rzuciła się do łazienki. – Ale tu zaparowałeś! Jak ja się w lustrze dobrze zobaczę?

– Przez lupę. Idę do kuchni.

– Wyczyściłeś spodnie?

– Jasne – zełgałem z pokerową miną.

– Przyznaj się, nawet ich nie dotknąłeś.
– Oczywiście, że ich nie dotknąłem.
– Nie jest ci głupio?
– Oczywiście, że nie – wzruszyłem ramionami.
– Zachowujesz się jak dziecko.
– Oczywiście, że tak. Czy ja kiedykolwiek miałem ambicję, żeby być dorosłym?
– Czarny, niedługo będziesz miał czterdziestkę na karku...
– ...czyli za pięć lat...
– ...samochód na kredyt, kredyt na mieszkanie, pracę, która zajmuje ci sześć dni w tygodniu. Nie uważasz, że pora dorosnąć?
– Po co?
– Jezus w tym wieku już nie żył.
– Mam to w dupie. Poza tym jego ukrzyżowali. Ja żyję.
– Dziecko jesteś!!! Dziecko!!! – wrzasnęła Olga.
– Mówisz to takim tonem, jakby to była wielka zbrodnia – wzruszyłem ramionami. – Mnie się podoba moje życie takie, jakie jest. Nie mam zamiaru nic w nim zmieniać.

Olga w zauważalny sposób się nabzdyczyła. Ostatnio była super drażliwa na punkcie mojego ponoć skrajnie lekkomyślnego podejścia do życia. Na wszelki wypadek (atak szalonej prawniczki z tuszem do rzęs w ręce) wycofałem się do kuchni. Dwa kwadranse później doprowadziłem nawet pomieszczenie do względnego porządku. Co prawda krzesła były w szpinaku, a zlew okazał się jakoś dziwnie mało odporny na działanie wrzącej wody bo zmienił w dwóch miejscach kolor, ale byłem pewien, że coś się z tym da zrobić. Podjąłem też pewną próbę doczyszczenia spodni za pomocą płynu do mycia naczyń Ludwik. Spodnie były może i nieco czystsze. Za to wyglądały, jakbym je wiadrem wody oblał.

Wypiłem red bulla. Bez cukru. Właśnie wrzucałem do garnka pomidory, aby zrobić zupę, kiedy usłyszałem radosny wrzask Olgi:

– Ooo, cześć, łysy skubańcu. – A następnie: – Czarny, chodź, poznaj Sebastiana.

Wyszedłem ponuro z kuchni z łyżką w dłoni. Nigdy nie lubiłem facetów o imieniu Sebastian. Nic osobistego. Po prostu do tej pory każdy koleś o tym imieniu był bucem albo uznawałem go za buca, więc na jedno wychodziło. Z Sebastianem jest jak z Sylwią. Nigdy nie poznałem miłej i sympatycznej laski o imieniu Sylwia, choć przyznaję, zazwyczaj były niezłe w łóżku.

– Olga, jak fantastycznie wyglądasz – podniecił się niezdrowo łysy koleś o wyglądzie modela z reklam Gucciego i w przesadnie modnych ciemnych okularach w czerwonych oprawach. – Schudłaś!

Miał ciemną karnację i hiszpańską bródkę. Był chudy. Miał dżinsy od Bossa. Pomarańczową marynarkę od Kenzo. T-shirt nie wiem od kogo, ale czarny i gładki. I trampki Conversa. Rzecz jasna, wyglądał jak małpa. Dla mnie. Obiektywnie rzecz biorąc, prezentował się nawet w porządku.

Sebastian oczywiście zlał moją obecność, dalej zachwycając się figurą Olgi, jej fryzurą i czerwoną kiecką. W powietrzu zapachniało wrogością. Olga słuchała go z wyraźną przyjemnością. Ja stałem. Z łyżką. W ręku.

– Czarny, poznaj, to jest Sebastian – lekko zarumieniona Olga obróciła się w moim kierunku.

– Cześć. Zupa – wykonałem nieskoordynowany ruch ręką.

– Masz na imię zupa?

Spojrzałem na Sebastiana jak na idiotę.

– Się przypali – wyjaśniłem.

Obróciłem się na pięcie i wróciłem do kuchni. Z oddali dobiegł mnie jeszcze sceniczny szept Sebastiana:

– Dziwny koleś. Skąd go wytrzasnęłaś?

– Z pracy. Czarny jest w porządku.

Zakręciłem energicznie w garnku drewnianą łyżką. Z kremem pomidorowym jest tak, że na ogniu nie powinien przebywać dłużej niż dziesięć minut, ale w międzyczasie musi ostro zgęstnieć. Czyli ogień trzeba podkręcić bardzo konkretnie, ale trzeba przy tym solidnie zakręcić łyżką. Eeech, Nigella potrafiłaby to lepiej wyjaśnić.

– O, Iza! Czarny, chodź, poznaj Izę!!!

Wrzuciłem łyżkę do garnka. Izy lubiłem. Zupa chyba nie miała do nich farta.

Ten egzemplarz Izy był długowłosą blondynką, typem podobną do Miley Cyrus, tylko bez uszu Mickey Mouse, trochę wyższą, o piętnaście lat starszą i w aparacie ortodontycznym.

Całkiem niezła. *You know*, taka przyjemna blondyna, która do czterdziestki, a nawet do pięćdziesiątki, wygląda jak nastolatka z niewielkim, aczkolwiek zgrabnym tyłkiem. Wyprostowałem się na jej widok i zatańczyłem niczym Oscar de la Hoya na ringu. Mentalnie.

– Czarny – Iza, Iza – Czarny – Olga dokonała prezentacji.

– Cześć, Iza. Masz fantastyczną kieckę – uśmiechnąłem się.

Olga spojrzała na mnie wyjątkowo niesympatycznie. Sukienka Izy była długa, ale z wystarczająco wysokim rozcięciem, aby pokazać zgrabne nogi. Poza tym Iza miała cycki. Jeśli chodzi o mnie – byłem gotów.

– Dzięki – Iza uśmiechnęła się całą szerokością aparatu.

Kobiety z aparatem ortodontycznym, jak dla mnie, mają jedną wadę. Przez cały okres noszenia tego ustrojstwa, czyli dwa albo i trzy lata, odpada seks oralny.

– Czarny – powiedziała Olga z wyraźną irytacją w głosie.
– No? – dalej spoglądałem na Izę z wyraźną przyjemnością.
Ona na mnie zresztą też.
– Sos ci się przypali.
– Musi odparować. Spoko.
– Czarny – wysyczała Olga furiacko.
– Dobra, dobra – idę. Iza, jak będziesz miała chwilę, wpadnij do kuchni, pogadamy.
– Zastanowię się – znów uśmiech.
– Iza, a gdzie zgubiłaś Marka? – zapytała słodziutko Olga. – Został w domu?
– Nie, pojechał w delegację. Mówiłam ci przecież wczoraj. A co? – zdziwiła się Iza.
– Nie, nic. Zapomniałam. Chodź, poznam cię z Sebastianem.
Olga uśmiechnęła się uwodzicielsko. Na migi pokazałem Izie, żeby wpadła do kuchni. Pokiwała potwierdzająco głową.
Wróciłem do kuchni, wziąłem trzy pęczki pietruszki i zacząłem je szatkować. Pokroiłem bawolą mozzarellę. Jest o niebo delikatniejsza niż ta krowia. Wrzuciłem do misek na zupę. Wyjąłem kurczaka, który był już bardzo przyjemnie zarumieniony. Odstawiłem go na bok. Zapakowałem lasagne w folię aluminiową i wsadziłem do nagrzanego do dwustu stopni piekarnika. Przetarłem czoło i zacząłem się zastanawiać, czy Olga przypadkiem nie ma gdzieś zbunkrowanej flaszki whisky. Przydałby mi się jakiś dopalacz.
– Czarny! Krzysiek z Bartkiem przyszli.
Westchnąłem ciężko. Zestawiłem garnek z zupą z ognia.
– Czarnyyyy!!!
– Idę, idę. Już idę.
Wytarłem ręce w kuchenną szmatę.

– Czarny, to Krzysiek i Bartek.

Krzysiek był wyższy, Bartek niższy. Krzysiek miał złoty łańcuch na klacie, podkoszulek, bojówki i buty Nike. Bartek francuski beret, wąsy niczym Polski turysta w Berlinie w latach osiemdziesiątych, trencz i spodnie od dresu.

Łańcuch i Beret byli parą. Znając życie i Warszawę, mogli być jeszcze fryzjerami wegetarianami i wielbicielami Zielonych albo spotkań Lewicy, na których dwudziestodwuletnie intelektualistki szukają materiału do szybkiego seksu w rytmie *Międzynarodówki*. Albo i jedno, i drugie. Jeden pracował w PWC, a drugi był grafikiem czy rysownikiem. Nie pamiętam. Obaj lubili za to kurczaka z KFC.

– *Bueno*, Czarny – Krzysiek uśmiechnął się szelmowsko. – No, niech spojrzę na was – popatrzył znacząco na mnie i na Olgę. – Jesteście naprawdę fantastyczną parą. Faaaantastyczną!

Olga się zaczerwieniła.

– Ja za to o tobie ciągle wiem niewiele. Poza tym, że lubisz kurczaki.

– Och, głównie jednego kurczaka – pogłaskał po ręce swojego faceta.

– Głównie na ostro – puścił perskie oko.

– Coś czuję wobec tego, że ten powinien ci zasmakować. Okay, panowie, miło było, ale zostawiłem żarcie na gazie. Wracam do kuchni. Marchewka i kurczak mnie wzywają. Spragnione mojej atencji.

Wróciłem do kuchni. Wyciągnąłem z torby dwa włoskie chleby wyglądające jak ciabatta, ale znacznie od niej większe. Pokroiłem je na kawałki. Ceramiczne naczynie polałem trochę oliwą i posypałem solą. Posmerałem chlebem po dnie, żeby pokrył się niewielką warstwą oliwy tak, aby pieczywo było bardziej chrupkie. Lasagne już dochodziła, teraz trzeba wpieprzyć lasagne, wpieprzyć chleb i spieprzać stąd w podskokach.

– Czarny – zawyła Olga. – Przyszli...

Zastanówmy się: kolesie z *Miami Vice*? Miss Universe? Bill Clinton pod pachę z Monicą? Święty Mikołaj i stado reniferów na czele z Rudolfem? *And the Oscar goes to...*

– ...Oskar i Monika!

Wyjąłem lasagne. Włożyłem pieczywo do piekarnika i najspokojniej w świecie wziąłem się za przygniatanie płaską stroną noża ząbków czosnku.

– Czarnyyyyy. Chodźźźźźże tuuuuutaj!!!– w głosie pojawił się nacisk. Jak odcisk.

Wyjąłem talerz i wyciskarkę od czosnku. Obrałem ząbki i systematycznie zacząłem je wyciskać wyciskarką.

– Ooo, i Kaśka z Jolką!!! Czarnyyyyy!!!

Stulcie te zmechacone ryje.

– Czarny – głowa Olgi zajrzała do kuchni. – To jest Oskar i Monika. Mają od trzech miesięcy dziecko. Antosia.

Pokiwałem głową ze współczuciem. Oskar miał wory pod oczami, które kończyły się gdzieś w okolicy zębów, i wyglądał, jakby miał na sobie azbestowy garnitur. Monika z kolei miała dupę jak szafa, cyce jak torby na ziemniaki, a w spojrzeniu neofaszystowski zapał matki Polki.

„No to sobie zajebiste towarzystwo na imprezę skołowałem", pomyślałem.

– Cześć.

– Cześć, Oskar i Monika – pokiwałem głową. – A gdzie macie Antosia? – zainteresowałem się.

– Został z moimi rodzicami – wyjaśniła z pewna ulgą w głosie Monika.

Czyli młody faszysta spędzi wieczór z seniorami, którzy będą do niego ćmoktać i odetchną z ulgą po jego wyjściu.

– A to Kaśka z Jolką. To jest Czarny.

Zasalutowałem łyżką w milczeniu.

Kaśka była słaba, a Jolka średnia. Księgowa i pani bankowiec. Obie do bólu miejskie, przeciętne i yuppie. Postanowiłem nie zawracać sobie nimi głowy.

– To co, wszyscy już są? – zwróciłem się do Olgi. – Chyba jemy, nie?

W ciągu kolejnych czterdziestu pięciu minut wyleczyłem się z jakichkolwiek pragnień pod tytułem: kiedyś już mi się znudzi praca w wielkiej korporacji, otworzę własną restaurację i będę gotował dla moich gości. Zresztą i tak dziewięć na dziesięć knajp pada w ciągu trzech lat od rozpoczęcia działalności. Najpierw oparzyłem się w rękę, wyciągając lasagne z piekarnika. Wylałem wrzątek na stopę przy odcedzaniu makaronu. Mało brakowało, a odciąłbym sobie palucha przy krojeniu pietruszki.

Goście żarli, narzekając, że za mało słone. Albo za bardzo słone. Mozzarella była dziwna. W zupie za dużo pietruszki. Lasagne była ze szpinakiem. I tak wszyscy głównie chlali. Olga kupiła dwa kartony wina. Po dwanaście butelek każdy. Pierwszy, do czego przyczyniła się również moja przed- i popołudniowa aktywność, był już prawie pusty. To nieźle rokowało na resztę wieczoru.

Kurczaka wniosłem na paterze.

Wrzuciłem przy tym na twarz najbardziej ponurą minę, na jaką było mnie stać. Mogłem ją sobie w buty wsadzić, bo wszyscy mnie zlali, zajęci piciem i gadaniem. Co do walorów wizualnych – dziesięć na dziesięć. Był złocisty jak na reklamówkach KFC.

Krzysiek nałożył sobie potężny kawałek, zakąsił i jęknął tylko: „O, kurwa". Po czym błyskawicznie wychylił pół kieliszka wina.

– Co jest? – zaniepokoił się Bartek.

– Nic, kochanie. Spróbuj, powinno ci smakować.

Bartek spróbował i zaczął kaszleć.

– Sebastian, może kurczaka? – zauważyłem radośnie.

Kiedy Bartek kończył się krztusić, Sebastian właśnie zaczynał. Chwycił butelkę wina i pił z gwinta.

– Co wam jest? – zdziwiła się Jolka, obgryzając z zapałem udko.

– Ja pierdolę, jakie ostre – wyjęczał Sebastian.

– Przesadzasz, mięczaku. Opowiadałam wam o moim fitnessie? Na recepcji siedzą najbardziej wyczesane pindzie. Szczupłe jak modelki, długie rozpuszczone włosy, mini o takie – Jolka na własnej nodze pokazała, jakie mini, odsłaniając przy tym, niby niechcący, udo i stringi.

– Uuuu!!! – zawyła męska część towarzystwa, nie wiadomo, czy to na widok nóg Jolki (dla mnie siedem na dziesięć), czy wizji recepcjonistek.

Jolka ewidentnie szukała kogoś na noc. Do intensywnych ćwiczeń fizycznych. W damsko-męskich układach synchronicznych.

– Nogi do ziemi – kontynuowała Jolka.

– Może się nie znam, ale większość kobiet ma nogi do ziemi – słabo zaprotestowałem.

– Cicho. Ja mówię. Na nogach dziewięciocentymetrowe szpile. Jak one w tym wytrzymują przez osiem godzin, nie wiem.

– Może mają dodatek za pracę w szkodliwych warunkach? – zastanawiała się Olga.

– Nie wiem. Co wiem, to tyle, że głupie są jak paczka gwoździ i dupą myślące. Cycki zawsze na wierzchu.

Jolka, opowiadając o cyckach, wypięła własne (ale nic szczególnego, sześć na dziesięć).

– Nachyla się do faceta laska z recepcji, cyce jej wiszą, i mówi: „Poprrrrroszę kartę. Czy chce pan przedłużyć członkostwo?". I cycki jej się tak kołyszą, że faceci wpadają w stupor. Dosłownie. Patrzysz i widzisz: bim, bam, bim, bam, a kolesie jak na seansie hipnozy. Dla równowagi: wszyscy pracujący przy myciu podłogi i kibli trzydzieści kilo nadwagi i mordy jak ze *Świata według Kiepskich*. Laski od kibli nawet tipsów nie noszą. Takie zasady w tym klubie mają.

– *Face control* – powiedziała Olga.

– Raczej rasizm twarzowy. Podbudowany ekonomicznie, jak widać – oburzyła się Kaśka.

– A co, dziwicie się? Klub nakierowany jest na facetów, tak? To najłatwiej jest ich ściągnąć gołymi dupami. Bo czym? – stwierdziła Iza.

– Trochę są ubrane...

– No to półnagimi dupami.

– Przystojni faceci na recepcji też tam są – wyjaśniła łaskawie Jolka.

– Rozebrani??? – zapytały chórem wszystkie pozostałe laski obecne w pokoju.

– Mają fajne koszulki. Wiecie, takie na ramiączkach, żeby było dobrze widać mięśnie. Laski lubią ich macać. Po bicepsach. I nie tylko po bicepsach – rozmarzyła się Jolka.

– To sobie chłopaki poużywają. Jak banda dresiarzy na dyskotece w Mielnie – rozmarzył się z kolei Sebastian.

– Sama jednemu dałam – wyznała Jolka. – No, co się tak patrzysz, Olga? Jakby tobie się to nigdy nie zdarzyło.

Zapadła cisza. Na moment.

– A co to za penis rybi? – zapytała Olga, wychylając do dna kieliszek wina i prędko uzupełniając go ze stojącej nieopodal butelki.

– Taki jeden. Rudolf. Renifer. Umięśniony jak ten fajans od Skrzynki. No co? – Jolka spojrzała na nasze zdziwione gęby ze zdziwieniem. – Mnie kręcą takie zwierzaki. Na zasadzie, chwyci za włosy, rzuci o ścianę i bzyknie.

Spojrzałem na Jolkę z wyraźną aprobatą.

– Jak go wyrwałaś? – zainteresował się Sebastian.

– Normalnie. Podeszłam i zapytałam, jak to zrobił, że ma taki fajny tyłek.

Olga: – Ty dzif... Mam kończyć?

Iza: – A jakbyś nie była w jego typie?

– Nie żartuj – zaprotestował Sebastian. – W przypadku faceta nie istnieje słowo „w typie".

– Liczy się osobowość – stwierdziła dumnie Kaśka.

– I te... cycki – dodałem złośliwie.

– O właśnie – przyznał Sebastian.

– Cycki wcale nie są najważniejsze w relacjach damsko-męskich – zaprotestowała Kaśka. – O przepraszam, w relacjach seksualnych – poprawiła się, spoglądając na Bartka i Krzyśka, którzy nadal walczyli z kurczakiem, mimo że łzy płynęły im z oczu strumieniami.

– A co niby jest? – zapytał zdziwiony chór głosów.

– Oczywiście, że ZAUFANIE, wy singlowskie, japiszonowskie zombie.

– Tak à propos zaufania, Monika puściłaby cię na spotkanie z koleżanką? – Olga zapytała słodko Oskara.

– Jaką koleżanką? Znałaby ją? Jakby znała, to by pewnie puściła. Dlaczego by miała nie puścić? – Oskar spłoszył się wyraźnie.

– Koleżanka mogłaby się puścić – wyjaśnił Krzysiek.

– Monika koleżankom ufa. Czemu miałaby nie ufać? – Oskar bohatersko stawiał opór.

– Kinga Rusin też ufała Smoktunowicz – zauważyłem. – Smoktunowicz była nawet jej druhną na ślubie.

– He, he. Monika – wrzasnęła już mocno wstawiona Jolka – puściłabyś go na spotkanie z koleżanką na solo?

– No. Jakbym zobaczyła wcześniej zdjęcie tej koleżanki. Jeśli koleżanka wyglądałaby jak Rutowicz, to bym puściła.

– A jakby Monika nie znała laski, też by cię puściła? – Jolka podpuściła Oskara.

– Zdziwiłaby się, ale by puściła – Oskar nadal zgrywał twardziela.

– Zdziwiłaby się? Monika, zdziwiłabyś się?

– Nigdzie by nie poszedł! – wrzasnęła Monika.

– Czemu, kochanie? – tym razem zdziwił się Oskar.

– Ja już cię znam. Od razu byś ją gdzieś przeleciał.

– Oj, mam taką jedną w pracy, którą z chęcią bym przeleciał – zauważył smętnie Oskar.

– Jaką? – zapytałem.

– Taką krótko obciętą blondynę. Tania, z wyglądu do Fergie podobna i jakie ona ma cycki, mówię wam, panowie. Przyszła wczoraj do pracy w takiej luźnej koszulce bez stanika. Nie byłem jej w stanie w twarz spojrzeć.

– Tania?

– No takie imię. Ale cycki ma świetne.

– Co wy ciągle tak o tych cyckach? – Krzysiek ziewnął. – Monika, ty masz całkiem niezłe. Nie dajesz mu?

– Daję. Ale on mało chce ostatnio. Wiesz, podeszłabym do pierwszego z brzegu gościa od siebie z roboty, to by mnie od razu o kopiarkę opierał. A ten baran już się do moich przyzwyczaił. Coś nowego mu się marzy.

– Tak szybko?

– Szybko, nie szybko.

– Ile wy już jesteście po ślubie? – zapytała Olga.

Monika pokazała trzy palce prawej ręki w tym ten z obrączką.

– Łał, to już trzy lata?

– Trzy. Czujesz? Mam już 34 lata. Zmarszczki nawet na kolanach mi się robią. Jedyne, co mi zostało, to cycki i nogi. Chociaż kostki u nóg to mam cały czas za chude.

– To fajna impreza była, ten wasz ślub – przyznała Olga.

– Dzięki. Do tej pory się z niego zbieramy.

– Ile wydaliście?

– Koło stówy. Rodzice Oskara chcieli wypasu.

– I co?

– I do wypasu zabrakło nam drugie tyle. Hotel. Samochód. Restauracja. Kwartet smyczkowy. Zespół na ślub. DJ. Żarcie. Tort. Pieprzona sukienka, która teraz leży w kartonie razem z moim rozmiarem trzydzieści sześć.

– A ten wypas to by był, gdyby...?

– Jak to, co? – wtrącił się Sebastian. – Gdyby był większy hotel, większy samochód, większa restauracja. I orkiestra symfoniczna...

– Ale ty głupi jesteś!

– To wy głupie jesteście. Pół życia marzą o ślubie, a drugie pół rozpamiętują, co można było zrobić lepiej.

– Paznokcie to mogłam lepiej zrobić – przyznała krytycznie Monika. – Teraz bym sobie strzeliła burdelową wiśnię.

Dwa wina później.

Sebastian: – Dlaczego papież pisze się przez zet z kropką? Przecież to męski zawód. Jak murarz. Tokarz. Marynarz.

Olga: – Radca prawny.

Dwa i pół wina później.

– Mężczyźni są sentymentalni.

– To kobiety są sentymentalne – zaprotestowała Olga. – I głupie – dodała.

– Mylisz się. Bogusław Linda w *Psach* był sentymentalny i zamiast zapomnieć o żonie, która go puściła kantem, pieprzył jakąś małolatę i użalał się nad sobą – zauważyłem. – Humprey Bogart w *Casablance* był sentymentalny i zamiast zagarnąć dla siebie Ingrid Bergman, pieprzył jakieś głupoty o Paryżu. Nawet Napoleon, który do kobiet podchodził na zasadzie: „włóż, wyjmij, zapomnij", co praktykował w każdym podbitym kraju Europy, był sentymentalny. Jak miał szesnaście lat, poznał w Walencji Caroline du Colombier. Gorąca sztuka. Długie włosy, młodzieńczy, połyskujący cyc. W sumie coś w rodzaju najładniejszego ciała z klasy w liceum, z myślą o którym większość facetów trzepie konia w kiblu. Z Karolinką Napoleon jadł wiśnie i uznawał to za seks wszech czasów. Dwadzieścia lat później wezwał ją na audiencję. Zamiast świeżej jak szczypior laski zobaczył starszą panią ze strasznie gruba dupą. Kopara mu opadła. Rzecz jasna od razu zaczął żałować, że mu się sentyment odpalił, bo zamiast erotycznych marzeń o jedzeniu wiśni z małolatą, miał *flashback* z jakąś rozlatującą się panią koło czterdziestki. A wtedy czterdziestka wyglądała jak dziś sześćdziesiątka piątka. Mimo to załatwił jej facetowi niezłą rządową robotę. Bo co? Bo też był, kurwa, sentymentalny. Jak wszyscy mężczyźni. Co, nawiasem mówiąc, tłumaczy też sukces Naszej Klasy. I co za tym idzie, boomu na późniejsze bzykanie pierwszych miłości z podstawówki i liceum.

Trzy wina później.

– Rozumiem. Mam zmienić pracę, wyjechać do Afryki, Boliwii albo, kurwa, na Kamczatkę. Ratować sukulenty, afrykańskie dzieci, lasy tropikalne, czytając *No logo*. Wtedy byłbym odpowiedzialny? Tak, Olga? Tak?

– Nie chcesz mieć kobiety, dziecka, psa? Rodziny? Kogoś, kto będzie za tobą tęsknił, kogo będziesz obchodził? Chcesz zdechnąć jako pusty, egoistyczny gnojek? Zeżarty przez owczarka alzackiego? Czego ty chcesz w życiu?
– Pięćdziesięcioprocentowych obniżek na wyprzedaży.

Cztery wina później.
– Idealny wieczór dla mężczyzny? – zastanowiłem się.
– Wpierw laska zrobiona przez cycatą blondynę, później laska zrobiona przez cycatą brunetę, później przez dwie cycate naraz, przerwa na browar i znowu laska – zakpiła złośliwie Olga.
– NIE piję ostatnio piwa. Piwo jest zbyt kaloryczne – zauważyłem mimochodem, odpędzając gestem Olgę jak upierdliwą muchę. – Ale ma być idealnie? – upewniłem się u Sebastiana. – Dopsz. Po pierwsze, zero telefonów z pracy. Po drugie, zero kobiet – podniosłem palec do góry. – Ewentualnie na początku. Na kolana. Laska, góra dwie i spadać. Kobiety rozpraszają. Fenkju, gutnajt. Wstaję rano. Tak koło 11.30 Nie za wcześnie, nie za późno. Laska, góra dwie. Laska spada. Śniadanie. Piję margaritę. Ale taką, jak mi podawali w Kalifornii. Później mogę obejrzeć *Braveheart* i *Szeregowca Ryana*. I zjeść przy tym pizzę. Peperoni. Pizzę może przynieść kobieta – przyznałem łaskawie. – Blondyna, dwie trzecie aktywów na wierzchu. Zrobi loda i niech spada. Do tego ze dwa guinnessy. Ale zimne i z kija – zastrzegłem. – Te butelkowane są do kitu.
– No, to prawda – przytaknął Sebastian. – Co tak na mnie patrzycie?! Butelkowane są do kitu!
– Po *Szeregowcu* może być coś lżejszego.
– *Szklanka pułapka*?
– Może *Szklana pułapka*. Później otwieram drzwi balkonowe i wychodzę na plażę na Bali. Moje potężnie

ukształtowane mięśnie brzucha przypominające gigantyczną tarę oszałamiają wszystkie dupy. Pływam w oceanie przez jakieś piętnaście minut. Przychodzi naga laska, robi mi masaż, loda i spada. Teraz kelner przynosi steka i pieczone ziemniaki. Stek ma być wielkości małego lotniskowca. Jem stek. Piję margaritę. Gram ze dwie godziny na PS3 w Fallouta. Później oglądam ze dwa odcinki House'a i idę do łóżka.

– Strzelam, jakaś dupa robi ci loda – zakpiła Olga.

– Oczywiście. Jakbyś tam była, normalnie! No i czego się znowu wściekasz?!

Pięć win później.

Krzysiek: – Jechałem ostatnio na ślub taksówką, mijając paradę równości. Korek. Platformy przejeżdżają. Taksówkarz: „O, jakie młode szczyle!". Dostał ulotkę przez szybę o dyskryminowaniu nauczycieli gejów. Taksówkarz: „A po chuj się, panie, przyznają?". Ruszyliśmy. Taksówkarz: „A wie pan, ja to pedały lubię. Grzeczne są, w taksówce nie rzygają, jak powiem pedał, to żadne »Spierdalaj, skurwysynu«, tylko: »Nie życzę sobie, żeby pan do mnie tak mówił!«".

Przerwa. Taksiarz odbiera telefon od kumpla.

Taksówkarz do kumpla: „Misiek, ciotki mnie podrywały. No, jeden dał mi przez szybę swój numer telefonu. No, mówię ci". Odkłada telefon. I dalej nadaje: „Wiozłem ostatnio jednego takiego. Wchodzi do taksówki i mówi: »Ooo, jak mi się chce siku. Tak strasznie chce mi się siku. Proszę pod Platinium. Koledze skończyły się pieniądze, prosił mnie, żebym mu podrzucił trochę gotówki. Oooo, jak mi się chce siku«. Dowiozłem tego kolesia, wyszedł. Przyszedł z powrotem. I dalej: »Ooo, jak mi się chce siku, jak mi się chce siku«. Wiozę go z powrotem do Utopii. Wszedł tam na moment pożegnać się z pedałami, wraca do taksówki i znowu nadaje:

»Ooo, jak mi się chce siku, jak mi się chce siku«. To pytam: »Nie mógł pan się odpryskać?«. I wie pan, co mi ten pedał odpowiedział? »Eeee, toalety to są już dawno zajęte…«".

Pięć win i dwa spliffy później.

Kaśka: – Statystyczna Polka ma seks z jednym facetem. Z jednym, rozumiecie?

Jolka: – I używa stu sześćdziesięciu lakierów do paznokci.

– To ja znam inne Polki – zarechotał Sebastian. – Jeden facet to mało.

Pijana Olga zaczęła desperacko przesuwać się w stronę butelki.

– Dziesięciu to mało. Co można wiedzieć o winie, kiedy wypiło się w życiu tylko jedną butelkę?

– A ile butelek to jest akurat? – zaciekawił się Krzysiek.

– Nie wiem. Piętnaście? Jeszcze nie jesteś dziwką, a już nie…

– …pindzią? – zaryzykowałem.

– O, właśnie – pijana Olga machnęła zgodnie butelką z winem.

– A ty, Olga, ilu miałaś facetów?

– A ty, Sebastian, co jesteś taki zainteresowany? Chcesz sobie statystyki w Excellu zrobić?

– Czysta ciekawość. I tak mi przecież nie dasz – zauważył markotnie.

– A kto wie – Olga uśmiechnęła się tajemniczo – jak się wieczór potoczy.

– A świstak tak zawija w te sreberka. I aż dziw, że go za kokainę zamknęli. Z takimi umiejętnościami do ściemniania – prychnął Sebastian.

– To ilu?

– Czekaj, liczę.

…

– I co, dalej liczysz? – zapytałem.
– Nie, teraz to wspominam.
– To ilu w końcu? – zniecierpliwił się Sebastian.
– Więcej niż matka Teresa, a mniej niż Madonna – Olga odparła dumnie i dziarsko, podjęła kolejną próbę nalania czerwonego wina z butelki do kieliszka tak, by nie wylać przy tym zawartości na stół ani swoją sukienkę.
Prawie odniosła przy tym sukces.
– Czyli co, poniżej setki? – ziewnąłem.
– Trzydziestu trzech. Wypada prawie po jednym na każdy rok życia – stwierdziła ponuro.
– A ty, Sebastian? – zainteresowała się Kaśka.
– Mężczyznom nie zadaje się takich pytań – odparł z godnością.
– A kobietom to się zadaje? Przestań! – prychnęła Olga.
– 39 i pół.
– Jak to 39 i pół?
– No, 39 i pół. Te laski, które zrobili mi loda, a nie poszedłem z nimi do łóżka liczę za pół.
– To ile masz tych połówek?
– Z dziewięć – zawahał się Sebastian.
– He, he – zarechotała Jolka – jedną chyba znam. Jak byłam z nim w ubiegłym tygodniu na imprezie u Boguśki, wlazłam do kibla, a tam ten pan był obsługiwany przez taką czarną.
– Puka się – zauważył z wyrzutem Sebastian.
– Właśnie, puka – Jolka rechotała coraz głośniej.
– Do drzwi się puka, jak się wchodzi.
– A miałeś wytrysk? – zainteresowała się Monika.
– Nie!
– Gwoli statystyki – zapytał ze śmiertelnie poważną miną Krzysiek – czy jeśli ktoś ci obciągnął, a nie miałeś orgazmu, to liczysz to jako pół czy jako jedną czwartą?

– A jak ciebie ktoś przewali od tyłka i nie miałeś orgazmu, to liczysz to za seks czy petting? – zripostował złośliwie Sebastian.

– My, pedały, mamy inaczej – Krzysiek objął Bartka. – Powiedzmy tak, nasze życie seksualne jest o wiele bardziej barwne niż hetero. Możesz się rżnąć z pięćdziesięcioma facetami i być na rynku świeżutki niczym dziewica. A ty, Jolka?

– Z siedemdziesięciu – zaryzykowała. – No co się tak patrzycie? To nie moja wina. Mam osobowość typu borderline.

– A ja jestem kierowca tira – roześmiał się Krzysiek.

– A co to jest borderline? – scenicznym szeptem zapytał Oskar.

– To znaczy, że lubi seks, ale szuka na to usprawiedliwień – wytłumaczyła Olga.

– A ty, Czarny?

– Mam zakaz gadania o seksie. Ona – wskazałem głową Olgę – ograniczyła mi zdolność do czynności prawnych.

– Olga!!! – towarzystwo zawyło oburzone. – Zdejmij! ZDEJMIJ! ZDEJMIJ!!! – zaczęli skandować Sebastian z Krzyśkiem.

– Tak, tak rozbierz się – ożywił się Oskar.

– Kto ma się niby, do kurwy nędzy, rozbierać?! – wkurzyła się Olga.

– No chyba ty – uśmiechnąłem się do Olgi.

– Nie stać was.

– ZDEJMIJ! ZDEJMIJ!

Sebastian z Krzyśkiem zaczęli walić dłońmi w drogocenny stół Olgi.

– Nie walcie tak, dobra!!! Zdejmuję, słyszycie?! Zdejmuję!!! – wykrzyczała Olga. – Czarny, mów, jak chcesz.

– Brawo, brawo dla tej pani – Seb z Krzyśkiem znów zawyli. – To, Czarny, ile?

– No jak to ile? Cały czas czekam na tę pierwszą. Wiecie – jedyną, właściwą itepe, itede.

– Eeeeeeeeeeeee – rozległ się zbiorowy jęk zawodu.

– PINIDZIA! PINDZIA! PINDZIA!

Seb z Krzyśkiem znów zaczęli walić w stół łapami. Olga przyglądała się temu z coraz większym niepokojem.

– Powiedz im. Byle, kurwa, szybko – Olga, jak widać, wyceniła na szybko potencjalny koszt renowacji.

– Nie wiem. Nie liczę – wzruszyłem ramionami.

– Pierdzielisz, każdy facet liczy – mruknął Sebastian.

– Jestem dżentelmenem – słabo zaprotestowałem.

– To przecież nie każemy ci mówić z kim, tylko ile – wyjaśniła Jolka, zachowując żelazną logikę.

– Koło setki – zaryzykowałem.– No, ponad setkę.

Przy stole zapadła głucha cisza. Sebastian po raz pierwszy spojrzał na mnie z czymś w rodzaju szacunku w oczach.

– Ty, Hank Moody. Gdzieś ty się tyle nastukał?

– No, nie. Prosty rachunek. Szkoła średnia: pięć, sześć. Raczej sześć – zastanowiłem się przez moment. – Na studiach nie miałem zbyt dużo czasu na kobiety, poza tym prawniczki są strasznie zimne, więc mniej więcej było ich po pięć rocznie. Czyli mamy koło trzydziestu. Po studiach... – wzruszyłem ramionami. – Rok ma pięćdziesiąt dwa weekendy. Odliczmy święta, choroby i tym podobne. Powiedzmy, że nie zawsze uda się ci pójść z kobietą od razu do łóżka. W sumie wychodzi około dziesięciu weekendów w roku, gdy udało ci się osiągnąć sukces. Czyli mnożąc dziesięć razy dziesięć lat od ukończenia studiów to masz coś koło setki. W sumie więcej niż BXVI a dużo mniej niż Mick Jagger.

– No, a na nas mówią, jak mamy więcej niż pięciu facetów, żeśmy dziwki – prychnęła Olga. – Prawda, dziewczyny?

– Dobrze gadasz, siostro! – zawyły Jolka z Moniką.

– A jak facet zmienia dziewczyny co weekend, jak ten typ tu – Olga wskazała na mnie, spojrzałem dalej na ścianę – to te buce patrzą w niego jak w obrazek. Nawet geje. Jesteście męskie szowinistyczne świnie. Prawda, siostry?!

– Praaaawda! – siostry zawyły w słusznym oburzeniu.

– Widzicie, drogie panie. Klucz, który otwiera mnóstwo zamków, to jest świetny klucz – wyjaśniłem.– Ale zamek, który można otworzyć każdym kluczem, powiedzmy sobie szczerze, generalnie jest...

– ...do dupy – dopowiedział Sebastian, a wszyscy obecni na sali faceci, łącznie z pedałami, pokiwali głowami.

– To szowinistyczna męska świnia, siostry! Nie dawać mu wina! Nic mu nie dawać! Nogi przy sobie trzymać!

Nie ma wina

Na stole stała do połowy opróżniona butelka bushmillsa. Stół był cały zasyfiony. W salaterkach roztopione lody. Kiedy na olejowanym drewnie postawi się coś zimnego, mokrego, ciepłego, gorącego, czyli generalnie postawi się cokolwiek bez podstawki, to zostają zajebiste plamy. Olga miała być z tego powodu w rozpaczy. Ale dopiero jutro koło południa. Na razie jej wisiało. Sebastian i Krzysiek byli napruci jak szpadle. Teraz siedzieli przed MacBookiem Olgi i ryczeli, oglądając klipy na YouTubie.

O piątej rano stało mleko pod drzwiami
Vibovit w proszku jedliśmy garściami.

Olga, zataczając się, przysiadła się do Kaśki.

– Do kogo piszesz? Szkoda, że cię tu nie ma. Nie ma kto zdjąć koszulki – przesylabilizowała.

– Oj, Kaśka, Kaśka – pokiwała głową jak matka do nie do końca rozgarniętego dziecka. – Zabrać ci już komórkę czy jeszcze pięć minut?

– Pięć minut.

– Okay. Kto to?

– Eks.

– To wiem.

– Jutro wykasuję jego numer – obiecała. – Po raz dwudziesty piąty z rzędu?!

– To jest ironia. Całkiem nieźle. Wykasuj go całkiem. Wiesz, w sensie wszystkie esemesy, połączenia itede – poradziła Olga. – W ostateczności utop telefon w kiblu.

– To nic nie da. I tak pamiętam numer – zauważyła smętnie Kaśka.

– To sobie wyobraź, że za każdym razem, jak do niego piszesz, ginie na ulicy mały kotek. Odpisze?

– Problem polega na tym, że czasem odpisuje.

– Długo tak już...?

– Pół roku. Spokojnie, wstyd mi będzie jutro, jak się obudzę.

Olga wzięła kubek od herbaty i nalała whisky mniej więcej do połowy. Spojrzała krytycznie i dopełniła pojemnik colą.

– Pij, dziewczyno. Pij. Dużo się napijesz, mało będziesz pamiętać.

Nie ma wina II

Stoję w ekskluzywnej łazience Olgi.

Leję.

Do kibla.

Dobra, staram się lać do kibla. Ale jestem w takim stanie, że jest mi już momentami wszystko jedno. I leję wtedy dookoła.

Kolebię się z jednej nogi na drugą.
Łapię równowagę.
Myślę.
Politycznie.
Tak mnie naszło.
Zawsze mnie nachodzi na filozoficzne przemyślenia, kiedy leję.

„Polak jest jak troll na forum internetowym", pomyślałem i zwiększyłem ciśnienie na tyle, na ile mi pozwalały możliwości. W sensie: układ trawienny. Nawiasem mówiąc, w młodości to człowiek tak lał, że sufit mógł spokojnie obsikać. Teraz ciśnienie jest znacznie mniejsze.

Mieszkam w Polsce, najbardziej syfiastym kraju Europy Środkowo-Wschodniej. Ten kraj jest połączeniem wiochy z drobnomieszczaństwem i polany kompleksami. „Nie wierzę w demokrację", dodałem w myślach. „Większość osób nie jest w stanie nawet porządnie wytrzeć sobie tyłka, a co dopiero zadecydować o przyszłości innych. Dlaczego mój los ma zależeć od kogoś, kto nie jest w stanie umyć się dwa razy dziennie? Jakie kwalifikacje do decydowania za mnie ma chłop spod Ostrołęki, którego szczytowym osiągnięciem jest obalenie trzech jaboli w minutę", zadumałem się na moment. Zakolebałem się przy tym nad kiblem. „Ciekawe jak to, skubany, robi? Musi mieć naprawdę elastyczny przełyk, żeby wlewać bezpośrednio do żołądka, nie poruszając grdyką. To w końcu, jakby nie patrzeć, ponad dwa litry!".

„Weź się połóż, człowieku, bo już głupoty ci do głowy przychodzą", doradziłem sobie w najlepszej intencji. Trzeba zainwestować w taksówkę i wracać do domu. Pomyślałem jeszcze ze współczuciem o swoim biednym żołądku, który będzie teraz wystawiony na wiele niezbyt przyjemnych prób rzygnięć. I zadowolony z siebie i podjętych decyzji spuściłem wodę w klopie.

– Oooo, nie wiedziałam, że ktoś tu jest – do łazienki wpadła razem z drzwiami rozradowana Jolka. – Czarny, ty tutaj?! Co robisz?

Spojrzałem na klop, na Jolkę, a potem jeszcze raz na w zamyśleniu na klop.

– A jak myślisz?

Jolka zaczęła malować usta przed lustrem. Błyszczykiem.

– Masz duże stopy – stwierdziła. – Wiesz, co mówią o facetach z dużymi stopami?

– Że mają zazwyczaj problem z kupieniem nowych butów?

Jolka oblizała wargi. Postawiła jedną nogę na kiblu i zaczęła poprawiać pończochy.

Zastanawiałem się, jaki ma cel. Czy podpuszczała mnie w celu puszczenia gumą od majtek? Czy też miała zamiar się puścić i właśnie podkręcała mnie do pięciu tysięcy obrotów. Obie opcje były dla mnie w tym momencie bez sensu.

Jolka skończyła poprawiać pończochy, pokazała mi jeszcze kawałek tyłka, zdjęła stanik pod sukienką, patrząc na mnie, wypięła cycki, po czym spoglądając w moim kierunku, wyjaśniła:

– Strasznie mnie uwierał.

„Raczej puszcza gumą od majtek", pomyślałem markotnie i mimo wszystko zrobiło mi się przykro.

Tymczasem Jolka podeszła do mnie, zbliżyła twarz do mojej na jakieś dziesięć centymetrów, po czym złapała mnie za fiuta.

„Raczej chyba chce się puścić", pomyślałem ponownie. I przez moment zrobiło mi się lżej. Ale to był krótki moment.

Ponieważ Jolka była w fazie: jestem dzikim, szalonym demonem seksu.

I wyzwolonym.

I feministycznym.

I dostaję to, co chcę.

Skoro tak, to nie mogłem jej zepsuć nastroju, bo byłoby jej przykro. Myślałaby, że jest już nieatrakcyjna czy coś. Popadłaby w kompleksy. Źle by mnie wspominała i w ogóle. Więc zatoczyłem się w jej kierunku. Odwróciłem ją tyłkiem do siebie. Podciągnąłem do góry sukienkę. Zdjąłem jej stringi. I zacząłem nieśpiesznie chędożyć. Rozpinając uprzednio rozporek.

Jolka jęczała. Świat wirował. Ja czułem się surrealistycznie.

„Kontynuując wątek polityczny – myślałem – dlaczego pieprzenie nie jest nam w stanie, nam Polakom, sprawić czystej przyjemności? Ot, mamy tu sytuację, ładna kobieta, chętna jak najbardziej, spontaniczna, co cenne, a ja co? – Zatrzymałem się na moment. – Jak aktor polskiego filmu z lat osiemdziesiątych. Ból, cierpienie i gorycz. A gdzie, kurwa, satysfakcja?!".

I w tym momencie usłyszałem pukanie do drzwi.

– Czarny, jesteś tam? – usłyszałem głos Olgi.

Jolka przekornie wznowiła ruchy, które nie przystoją filozofom, i zaatakowała mnie tyłkiem, wypinając mocno pośladki.

– Czarny, wiem, że tam jesteś, odezwij się, no?

W głosie Olgi wyczułem błagalny ton.

– Zaraz do ciebie przyjdę, poczekaj chwilę, okay?

Jolka nadal intensywnie pracowała nad swoim orgazmem. Jęknęła przy tym na domiar złego spazmatycznie.

– Ochchhh.

– Nic ci nie jest? – zaniepokoiła się za drzwiami Olga.

– Wszystko w porządku – odkrzyknąłem, starając się brzmieć możliwie jak najbardziej dziarsko.

– Musimy porozmawiać.

– Daj mi pięć minut, dobra? – Jolka spojrzała na mnie z oburzeniem. – No, powiedzmy, dziesięć – zmitygowałem się. – Przyjdę zaraz do ciebie.

– Wolę rozmawiać w ten sposób. Nie widzę wtedy twojej miny – ponuro stwierdziła Olga.

– Dziesięć minut! – odkrzyknąłem.

– Słuchaj, ja tak dłużej już nie mogę!!! Musimy poważnie porozmawiać.

– O czym?

– Nie możesz mnie tak traktować!

– Jak? – zapytałem z głupia frant.

– Przyciągać i odpychać jednocześnie. Byłam z tobą na czterech weselach.

A ja niby chciałem tam iść?

– Jedno było twojego kumpla – ciągnęła dalej Olga, czytając w moich myślach. – Nie mogę wiecznie na ciebie czekać. Aż zmądrzejesz i przestaniesz zachowywać się jak dziecko.

– Achhhh! – jęknęła Jolka. Nie wiem, czy było jej nadzwyczaj dobrze, czy po prostu dla jaj.

– Co ty tam robisz? – zainteresowała się Olga.

– Nie chcesz wiedzieć – odpowiedziałem zrezygnowany.

– Czarny, chcę wiedzieć, co z nami będzie? Czy w swoim durnym łbie dopuszczasz w ogóle jakieś „my", jakieś „nas"?

– Olga, to nie jest najlepszy moment na taką rozmowę.

– To świetny czas! Jestem pijana. I szczera. Teraz jestem w stanie nawet obiecać ci, że będę wierna i będę ci prasować koszule.

– Jestem wzruszony. A wstawisz sobie implanty?

– Czy ty choć raz możesz być poważny? Ile czasu spędzamy razem?

– Ze dwanaście godzin dziennie.

– Ile rozmawiamy codziennie?

– Nie wiem. Cztery?
– Kiedy mam okres?
– Oszalałaś?
– Kiedy mam okres?
– Za tydzień?
– Właśnie. Wiesz, ile osób na świecie wie dokładnie, kiedy mam okres?
– Jesteśmy przyjaciółmi, nie? Przyjaciele wiedzą o sobie różne rzeczy.
– Czarny, to jest chore. Tak dłużej nie może być. Ja tego już dłużej nie zniosę.
Cisza.
Cisza.
Cisza.
– No nie wiem, co powiedzieć, no. Rozumiem, że rozwiązanie w stylu: jeśli oboje do czterdziestki nie znajdziemy nikogo, to będziemy małżeństwem, nie wchodzi w grę?
Jolka spojrzała na mnie z oburzeniem.
– Czarny, ja odchodzę z firmy – stwierdziła ponuro Olga. – Nie mogę już z tobą pracować. Podjęłam już decyzję. Musisz mi teraz tylko odpowiedzieć: będziemy razem czy nie?
– Co to za pytanie?
– Tak czy nie? Liczę do dziesięciu! Dziesięć, dziewięć, osiem…
– My jesteśmy w przedszkolu czy jak?
– Raz musisz podjąć decyzję! Osiem, siedem, sześć…
– Olga…
– Nie „Olga". Tak lub nie. Pięć, cztery, trzy…
Spojrzałem w panice na Jolkę. Założyłem w pośpiechu gacie. I wrzasnąłem:
– Okay, wiem już, czekaj!!!
– No i…?

KONIEC

Spis rozdziałów

Redakcja: *Paweł Pomianek*
Korekta: *Katarzyna Juszyńska*
Okładka: *Joanna Czerniak*
Skład: *Monika Burakiewicz*
Druk i oprawa: *Elpil*

Wydanie pierwsze
ISBN 978-83-7722-372-7

NOVAE RES – WYDAWNICTWO INNOWACYJNE
al. Zwycięstwa 96/98, 81-451 Gdynia
tel.: 58 735 11 61, e-mail: *dialog@novaeres.pl*, *http://novaeres.pl*

Publikacja dostępna jest w księgarni internetowej *zaczytani.pl*.

Wydawnictwo Novae Res jest partnerem
Pomorskiego Parku Naukowo-Technologicznego w Gdyni.